# L'Exception économique française

ou

## les trente-cinq heurts ?

45, rue des Petites Écuries
75010 Paris
www.publiecriprint.com

Tous droits de reproduction,
traduction ou adaptation
réservés pour tous pays.

© Les éditions de l'Officine,
Paris, mars 2005

ISBN 2-915680-09-4

Thierry Warin

# L'Exception
# économique française
## ou
## les trente-cinq heurts ?

LES ÉDITIONS DE L'OFFICINE

À mon grand-père et à mon fils.

L'auteur tient à remercier Alexis Studley qui a réalisé un excellent travail de documentation, Nathalie de Marcellis, Marc de Fritsch et André Fourçans pour leur relecture détaillée et commentaires affûtés. Les remerciements s'adressent également à Middlebury College (Vermont, USA). L'auteur reste néanmoins responsable des erreurs et omissions subsistantes.

# Sommaire

« Les démocraties ne peuvent pas plus se passer d'être hypocrites que les dictatures d'être cyniques. »

**Georges Bernanos**

## Avant-propos

Après les pleurs des Cassandre prévoyant la fin de la France, après la tourmente des élections nationales françaises de mai et juin 2002, et en plein cœur des tentatives de réforme et des menaces de grèves nationales, il est bon d'essayer d'expliquer les raisons économiques du « ras-le-bol » des Français. Il apparaît que les politiques économiques proposées aux Français tournent toujours autour des mêmes notions malgré des analyses différentes en fonction de l'appartenance politique.

Les Hommes politiques ont une responsabilité dans

l'éducation des Français aux mécanismes économiques. Matière par essence complexe, la dynamique économique doit être expliquée clairement. La confusion volontaire ou involontaire est loin d'être confortable : elle mène les électeurs à exprimer leur mécontentement. Quelles leçons en tirer pour les prochaines élections ? Sans clarification et sans remise en cause des non-sens économiques depuis trop longtemps inculqués aux Français, la démocratie française basculera au profit de la victoire de l'un des courants extrêmes.

# Introduction. La France des paradoxes

Non. La France ne tombe pas : elle a mal. Et cela fait bien longtemps. Trop longtemps assurément. Alain Peyrefitte le constatait déjà en 1976 dans son livre « Le Mal Français ». Elle a mal lorsqu'elle constate qu'elle ne s'améliore pas, lorsqu'elle voit ses voisins devenir plus riches, lorsqu'elle se sent obligée de protéger sa culture – exceptionnelle. Elle a mal aussi lorsqu'on lui propose les réformes à mettre en place.

La France a peur. On la dit conservatrice. Personne ne veut renoncer à ses acquis – certains diront privilèges – et attend des autres qu'ils fassent les efforts nécessaires. Les partis de gauche – ailleurs partis de progrès et de réformes – en sont amenés à proposer des réformes qui vont dans le sens de plus de protection des acquis sans penser à aller vers des « acquis » encore meilleurs.

Pourtant, une France plus riche, c'est une France avec un système de santé qui n'est pas au bord de la faillite – un déficit de 11,3 milliards d'euros en 2003 selon la Cour des Comptes – c'est une médecine à la pointe pour tout le monde, une nation qui tiendra ses engagements quand les nouveaux retraités réclameront leur dû, une France sans ghetto, des emplois, un système éducatif qui paie ses professeurs non pas en avantages en nature – difficilement mesurables – mais en monnaie sonnante et trébuchante. C'est une France qui rayonne à travers le monde par ses idées novatrices et progressistes davantage que par ses stéréotypes ou ses gloires passées. C'est surtout une France qui dessine un sourire sur le visage de ses citoyens.

Mais une France riche fait peur. Le rêve économique français est que tout le monde s'enrichisse dans la même proportion. Les mathématiques sont formelles : une augmentation de 10 % du revenu d'une personne au Smic est bien moins que 10 % d'une personne milliardaire. Les inégalités ressortent. Il faut donc que les petits s'enrichissent plus que les grands. Les écarts actuels semblent les bons, sauf à considérer les très riches, ceux qui payent l'impôt sur la fortune – dernièrement appelé l'impôt de solidarité sur la fortune car plus politiquement correct. Il n'est solidaire que parce qu'il donne l'impression de réduire les écarts et de permettre la redistribution de l'argent à ceux qui en ont vraiment besoin.

Les petits imposés paient cette illusion fiscale. La seule justification scientifique de l'ISF serait qu'il permette de réduire les écarts entre les très riches et les pauvres. Et c'est vrai, mais à quel prix.

Est-ce que posséder 720 000 euros de patrimoine, c'est être très riche ? Un agriculteur qui a hérité des terres de ses parents et qui ne gagne pas le Smic, est-il riche ? Évidemment non. Il devra vendre précipitamment ses terres afin de payer sa dîme, en d'autres termes l'impôt de succession et l'impôt de solidarité.

L'histoire ne s'arrête pas là. Un promoteur les achètera à un prix plus intéressant que le prix du marché et fera fortune : ce que cet impôt voulait éviter. Et dans un monde global où les fortunes voyagent plus vite et plus facilement que leurs propriétaires, où les vrais fortunés ont des conseillers éclairés en gestion de patrimoine, est-il réaliste de faire croire aux plus démunis que l'on travaille à réduire les inégalités ? La vérité est que l'on réduit les inégalités visibles sur le sol français, mais il y a une partie invisible : les fortunes sont ailleurs. Une part non négligeable de l'argent des Français ne travaille pas pour la France, mais pour l'étranger : le paradoxe de beaucoup de politiques de justice sociale – heureusement pas toutes. Cela ne nous dérange pas de voir nos grosses fortunes dans les magazines à bord de leur bateau aussi longtemps que sur le sol français ils ne déclarent pas qu'ils aient trop d'argent.

En septembre 2004, la Cour des comptes annonce que la suppression de l'ISF n'est pas justifiée. Entre 1997 et 2001, près de 250 millions d'euros de capitaux ont apparemment quitté la France pour échapper à l'ISF. Dans le même temps, 10,3 milliards d'euros de recettes ont été générées par la collecte de l'ISF, indique le rapport du conseil des impôts de la Cour.

En réalité, si l'on intègre la perte d'impôts due aux capitaux restés à l'étranger, l'ISF coûte plus cher à collecter que ce qu'il ne rapporte. Là où le bât blesse, ce n'est pas tant dans la fuite des capitaux, mais c'est dans le manque d'attractivité de la France pour les grosses fortunes... mais aussi pour les autres. Un cadre moyen américain qui bénéficie d'une retraite par capitalisation investie dans un fonds de pension ne viendra pas s'installer plus de six mois en France par an. Sa retraite étant sous forme de capital, elle sera imposée. Il n'est pourtant pas plus riche que le même retraité français qui a investi la même somme non pas dans un fonds de pension, mais dans la retraite publique. La France se paie le luxe de renoncer à des recettes fiscales.

En définitive, la seule justification de l'impôt de solidarité sur la fortune est politique. Même si cela coûte cher à notre économie, c'est le prix à payer pour la paix sociale tant que les mentalités n'évolueront pas. Le problème est que celui qui paie est toujours celui en bas de l'échelle sociale.

On le sait, l'argent, quand les autres n'en ont pas, rend arrogant. Et personne ne veut vivre dans une société… invivable. Mais le résultat n'est pas toujours glorieux : une société aigrie qui se bat pour s'en sortir mais qui n'arrive pas à décoller, une société où les petits entrepreneurs ne sont pas récompensés alors qu'ils sont le poumon de l'économie française. En effet, qui paie des impôts sinon ceux qui font des bénéfices ? Une entreprise en perte ne paie pas d'impôt, voire reçoit des faveurs pour maintenir son activité. Il fut un temps où les bénéfices de Peugeot servaient à financer les pertes de Renault. Il en allait de la sauvegarde de l'emploi chez Renault. Mais personne ne s'est jamais demandé combien d'emplois n'ont pas été créés chez Peugeot en raison de cet impôt plus élevé qu'il n'aurait dû être ? Et personne ne s'est demandé combien d'emplois n'allaient pas être créés en France mais à l'étranger pour la même raison ? Le système capitaliste est implacable.

De telles considérations ne font pas, semble-t-il, partie du mode de pensée des hommes politiques français. Si les salariés de Renault ont une meilleure convention collective que ceux de Peugeot, ce n'est pas à ceux de Renault de renoncer à leurs acquis, mais c'est plutôt à ceux de Peugeot de s'aligner sur le modèle social de Renault. Et c'est ce genre d'exemple qui conduit les Français à penser que le marché mène au moins-disant social.

En l'occurrence, la question est de savoir si la part des bénéfices de Peugeot qui est « allée » à Renault et donc au financement des acquis de ses salariés n'aurait pas dû être redistribuée sous forme de primes aux employés de Peugeot. Mais cette question ne remet pas en cause la critique française du marché, elle la renforce. En effet, pourquoi ne pourrions-nous pas vivre dans une société où les salariés de Peugeot aient les mêmes conditions que ceux de Renault ? N'est-ce d'ailleurs pas une condition nécessaire au bon fonctionnement d'un marché : avoir les mêmes règles du jeu ?

Et pourtant les choses sont loin d'être aussi simples. S'il est vrai que la situation financière d'un ouvrier de l'industrie automobile n'est pas comparable à celle d'un PDG, il n'en reste pas moins qu'il vaut mieux être ouvrier en France chez Peugeot qu'au Brésil chez le même constructeur. Peugeot a d'ailleurs lancé en septembre 2004 une enquête interne afin de lutter contre les inégalités. Les avantages sociaux entourant le contrat de travail français représentent des avantages non financiers particulièrement intéressants.

Mais la question est de savoir jusqu'où faut-il aller ou plutôt jusqu'où l'économie française peut-elle payer la facture de ses avantages sociaux ? L'économie de marché ne mène pas toujours au moins-disant social. En revanche, et c'est ce qui peut donner cette illusion, elle est attirée par les moindres coûts de production. Cela n'est pas grave lorsqu'il s'agit du coût des matières premières ou du matériel. Là où le bât blesse, c'est lorsqu'il s'agit de la mise en concurrence de la main-d'œuvre. À ce petit jeu, les détracteurs de la priorité donnée au marché par rapport au social prédisent une France perdante à tous les coups. Nul doute que la main-d'œuvre est plus chère en France que dans les pays du tiers-monde. Les entreprises finiraient par être attirées par ces eldorados du moins-disant humain. La réalité est pourtant tout autre.

## Politique économique contre le chômage : l'esprit et la lettre *à la* Française

La France crée. L'économie française est toujours en croissance. Nicolas Sarkozy, alors Ministre de l'économie, annonçait le 16 septembre 2004 une croissance de 2,5 % pour 2005. Le Produit intérieur brut ne cesse d'augmenter – certes moins fortement que dans quelques pays ayant le même profil.

Alors de quoi la France souffre-t-elle ? Elle souffre d'une croissance qui semble ne profiter à personne. Ou en tout cas pas aux bonnes personnes. On dit de la France qu'elle croît, mais les efforts semblent vains. Les Français s'essoufflent et se sentent comme des galériens de l'Empire romain. Ils travaillent fort mais ne peuvent profiter ou même percevoir l'étendue du chemin parcouru.

La loi d'Okun ne fonctionne pas. Une augmentation de 3 % du PIB devrait engendrer une baisse de 1 % du chômage. Ce n'est pas le cas en France. Il faut donc trouver d'autres voies. Les 35 heures en sont une.

Mais les emplois ne quittent pas la France, en tout cas pas tous les emplois. La France a une main-d'œuvre qualifiée abondante. Le problème porte davantage sur la main-d'œuvre non-qualifiée. Elle était en concurrence avec les pays du tiers-monde autrefois et se retrouve aujourd'hui concurrencée par nos voisins européens moins gourmands en terme de fiscalité, et aux salaires largement inférieurs. D'où les efforts de la France dans le domaine de l'éducation. Il n'est plus possible de rester compétitif pour la main-d'œuvre non-qualifiée compte tenu de notre modèle social et des coûts qu'il représente sur la main-d'œuvre. Il n'est pas question de faire marche arrière. La seule solution qui reste aux politiques est de diminuer la main-d'œuvre non-qualifiée. La méthode est d'encourager la poursuite des études aussi longtemps que possible et de diminuer le décrochage scolaire dans les cycles primaires et secondaires.

Si cette politique ne fonctionne pas, le modèle français fera face à un premier problème : un chômage incompressible, aussi appelé chômage structurel, c'est-à-dire lié à la structure même de notre économie. Il est aussi question dans le jargon scientifique des phénomènes d'hystérésis mis en évidence par les économistes Blanchard et Summers en 1986 : des politiques économiques qui rigidifient l'économie et qui empêchent les variations du chômage à la baisse.

La grande injustice d'un tel chômage est son homogénéité : il touche surtout des personnes à bas niveau de salaire, peu ou pas qualifiées et/ou ayant peu ou pas d'expérience professionnelle. On retrouve là les jeunes de moins de 25 ans et ceux qui sont au chômage depuis très longtemps. Le chômage français a cette triste particularité : une fois dedans, il est très difficile d'en sortir. Ce qui renforce les angoisses de ceux qui travaillent. Ils finissent par demander plus de protection, plus de subventions, plus de coûts pour l'entreprise qui songerait à licencier, en d'autres termes plus de rigidités pour l'économie. Conséquence : ceux déjà sur le marché du travail y restent, ceux en dehors – au chômage ou encore étudiants – ont encore plus de difficultés à y entrer.

Au début des années 70, la France comptait 272 000 chômeurs – un nombre proche de ce que les experts appellent le chômage naturel. À la fin des années 70, en raison des deux crises pétrolières ajoutées aux mauvaises réponses en termes de politiques économique et monétaire, le chômage est passé à 1 million. Il a été question après l'élection de François Mitterrand d'améliorer les conditions sociales des français – à croire qu'avant la France n'avait pas de retraite ni de système de santé – et aussi de mettre en place des politiques économiques visant à réduire les inégalités. Les améliorations sociales ne sont pas toujours synonymes de la montée du chômage ni responsables de cette montée, d'autres politiques économiques parfois dites libérales sont aussi en cause ainsi que l'ouverture plus grande des frontières et l'arrivée de nouveaux concurrents.

Beaucoup de pays développés ont subi le même revers. Mais pas tous. Le chômage est passé de 1 million à plus de 3 millions à la fin des années 90, pour revenir en dessous des 3 millions en 2002. Même si le taux de chômage n'est pas un bon indicateur de mesure des inégalités, il n'en reste pas moins que même si les inégalités ont été réduites, on peut s'interroger sur ce que cela veut dire : les plus pauvres sont-ils devenus plus riches ou les plus riches devenus plus pauvres ? Ou encore est-ce que les plus riches ont laissé leurs richesses dans l'économie française ?

J'entends déjà les Cassandre dire à juste titre d'ailleurs que ce système ne se mesure pas. La société française est prête à payer le prix car ce n'est pas ce qui lui importe. Ce qui est important, ce sont les hommes et les femmes et leur bien-être. Mieux vaut être une société moins riche et en bonne santé qu'une société riche et en mauvaise santé.

# Réformer le Smic : de la Gauche à la Droite

Le Smic et ses augmentations régulières sont-ils une explication de ce phénomène d'enlisement ? Créé en 1970 à la suite des accords de Grenelle, le Smic, « salaire interprofessionnel de croissance », concerne 2,2 millions de personnes, soit 11 % des salariés en France. Les femmes sont deux fois plus souvent payées au Smic que les hommes. Une fois encore, il n'est pas question de remettre en cause le système actuel. L'objectif est uniquement de mettre à plat le système français et de ne pas se voiler la face sur ses coûts.

On entendait avant l'euro le Parti Communiste proposer un Smic à 8 000 francs. Va-t-il à l'avenir demander un Smic à 1 500 euros ?

Parmi les premières leçons d'économie, il en est une qui parle de l'ajustement des quantités offertes et demandées grâce au mécanisme des prix : la célèbre « main invisible » du père fondateur de la Science économique moderne, Adam Smith, inspirée par Bernard de Mandeville dans « La fable des abeilles ». Sur le marché du travail, ce prix qui équilibre l'offre de travail (c'est-à-dire les demandeurs d'emploi qui offrent leur temps de travail) et la demande de travail (de la part des entreprises) dans un marché « parfait » est le taux de salaire. Si l'on empêche ce prix d'évoluer, de quelque manière que ce soit – par la loi ou par un choc économique – les ajustements ne se font plus. Cela n'est pas grave tant que les offres et les demandes ne changent pas. On peut très bien décider d'un taux de salaire d'équilibre et juger que celui-ci correspond au modèle social que l'on désire pour ce pays. Mais dès qu'un des deux côtés évolue, les ajustements ne se font plus ou en tout cas pas de la même façon. Par exemple, si la demande de travail des entreprises diminue en raison d'un ralentissement économique venant de l'extérieur de la France, certaines personnes qui avaient du travail se retrouveront au chômage. Dans un marché du travail parfait, dans le moyen terme, les taux de salaire devraient baisser et permettre à ces personnes de retrouver du travail, certes à un salaire plus faible, mais en attendant des moments meilleurs où l'activité reprendra. Il en est de même si l'offre de travail augmente : un écart démographique entre les gens partant à la retraite et les jeunes entrant en activité perturbera le marché. Sur ce marché, il n'y a plus de possibilité d'ajustement par les prix, mais l'ajustement se fait par les quantités.

Dans un tel cadre d'analyse, pourquoi alors imposer le même niveau de salaire minimum quelle que soit la région et quel que soit le type de métier ? Les offres et les demandes ne sont évidemment pas les mêmes dans les régions, comme elles ne sont pas les mêmes entre les pays, et dépendent aussi de la profession. Les évolutions de ces mêmes offres et demandes sont aussi différentes. Ainsi, au bout du compte, ne crée-t-on pas des inégalités en empêchant les offres et les demandes de s'ajuster ? Pas forcément. Au lieu d'un ajustement par les prix, nous avons choisi en France un ajustement par les quantités. Choisi ou caché ? Il est clair que les hommes politiques ayant décidé un salaire minimum interprofessionnel ne semblent pas s'être étalés sur ses conséquences. Sans vouloir paraphraser le pamphlétaire Frédéric Bastiat, autant se focaliser sur ce que l'on voit et oublier ce que l'on ne voit pas.

Même si la plupart des économistes sont dogmatiques en ce sens qu'ils préfèrent toujours des marchés sur lesquels les équilibres sont trouvés grâce aux variations de prix, il n'y a pas de raison de penser que les ajustements par les quantités sont plus mauvais.

Évidemment, un salaire minimum interprofessionnel est une bête économique curieuse. Un même salaire quelle que soit la région et quel que soit le métier, c'est une aberration pour les économistes croyant aux ajustements de l'offre et la demande par les prix. C'est toute la différence entre l'analyse économique et la politique. La première tente d'expliquer ce qui va se passer tandis que la seconde fixe un objectif pour un pays.

Un gouvernement peut très bien décider que personne ne sera payé en deçà d'un certain montant sur ce territoire et qu'il en va des valeurs morales de ce pays. Seulement, ce qui n'est pas dit est que cette politique de salaire minimum aura des conséquences sur les ajustements en cas de changement dans les offres ou les demandes de travail. En bout de ligne, l'économie s'ajustera.

Ainsi, si la demande de travail dans une région diminue pour un métier particulier, le salaire devrait baisser en l'absence de Smic. En présence d'une politique de salaire minimum, l'activité en déclin devrait entraîner une vague de licenciements. Entre ces deux maux, lequel faut-il préférer ? Le choix en France comme dans beaucoup d'autres pays a été un ajustement par les quantités afin de ne pas donner trop de poids au salaire et donc aux employeurs. D'autant plus qu'il y aura un ajustement dans la mesure où la main-d'œuvre devra se déplacer d'une région en déficit de demande de travail vers une région en excès. Évidemment, il n'est pas facile de quitter sa famille, sa maison, ses terres et ses racines. Il fût une époque où les gouvernements mettaient l'accent sur la mobilité du travail et l'encourageaient entre les différentes régions françaises. Aujourd'hui encore, même si la société française a bien évolué, il existe de grandes disparités dans les chiffres du chômage par région et par métier. Preuve que l'ajustement par les quantités ne fonctionne pas aussi bien que cela. Faut-il pour autant arrêter cette politique du Smic ? Pourquoi ne pas plutôt lui associer une politique qui corrigerait les défauts de l'ajustement par les quantités ? Il faudrait améliorer la circulation de l'information et faciliter les déplacements du facteur travail.

On comprend mieux maintenant aussi pourquoi des voix s'élèvent lorsqu'il est question de l'augmentation du Smic. En effet, tout le monde n'est pas d'accord sur le Smic. Les patrons s'opposent aux salariés, d'accord. Mais pourquoi tous les hommes politiques n'ont-ils pas la même analyse du Smic ?

J'entends déjà les défenseurs dogmatiques du Smic expliquant que les augmentations annuelles du Smic n'ont pas d'impact sur le chômage. Certains auteurs en effet – souvent français – viennent remettre en cause l'idée d'un impact négatif du Smic sur l'emploi. D'autres – souvent anglo-saxons – démontrent le contraire. Quoiqu'il en soit, le spectre des impacts n'est pas bien large : au mieux, le Smic ne nuit pas à l'emploi, au pire il aggrave le chômage. Une chose est sûre : il n'améliore pas la productivité.

C'est vrai que le Smic n'a pas d'impact sur l'emploi aussi longtemps que les augmentations suivent le taux d'inflation et que le marché du travail est rigide avec des demandes de travail qu'on appelle inélastiques, c'est-à-dire par exemple un marché du travail où le coût de licenciement serait supérieur à l'augmentation du Smic. Heureusement, le marché du travail en France correspond à cette hypothèse : il est rigide ! Et les augmentations annuelles décidées par le Premier ministre ne sont guères souvent supérieures à celles de l'inflation, ce que les syndicats ne manquent pas de lui rappeler.

Une autre réponse aux défenseurs dogmatiques est que l'évolution des chiffres du chômage de 272 000 à 3 millions en 20 ans est en partie due à un taux de salaire minimum inadapté aux évolutions des échanges internationaux, et des moyens de transport. En bref, de la mondialisation.

La possibilité de se délocaliser à moindre coût par rapport

aux décennies précédentes, l'ouverture du marché commun européen et la compétition des pays comme la Grèce, le Portugal, l'Espagne et l'Irlande avec des coûts salariaux inférieurs ou des fiscalités plus attrayantes ont entraîné une diminution de la demande de travail pour les bas salaires.

En effet, le fait de fixer par la loi un taux de salaire minimum ne nuit pas à tout le monde en France. Ceux qui sont déjà payés plus chers que le Smic continueront de travailler et d'être payés au même taux – et pas plus contrairement à ceux qui croient que l'augmentation du Smic permet une augmentation proportionnelle de l'ensemble de la grille des salaires française. En revanche, ceux dont le niveau d'éducation et/ou le manque d'expérience professionnelle ne leur permettent pas d'être « rentables » pour une entreprise qui sera obligée si elle les embauche de les payer au Smic finiront par être poussés en dehors du marché du travail. Ce qui augmente le chômage.

Il est vrai aussi que le chômage ne trouve pas son unique source dans le Smic. Les imperfections du marché du travail – ce que les experts appellent les asymétries d'information –, les décalages entre les personnels formés à un métier et le réel besoin des entreprises participent à créer le chômage. Et la partie du chômage qui concerne des gens payés habituellement plus chers que le Smic correspond à ces phénomènes. Maintenant, pour les personnes qui devraient être payées moins que le Smic ou aux environs du Smic, une partie de ce chômage résulte de ces imperfections et une autre partie est le fruit du taux de salaire minimum.

Décider d'un taux de salaire minimum est donc une responsabilité importante prise par un gouvernement. Mais c'est une politique d'autant plus facile que cela ne lui coûte rien. Sauf peut-être en nouvelle allocation chômage versée par les Assedic si et seulement si le chômage augmente en cas d'ajustement imprévu.

Mais le Smic n'est-il pas l'arbre qui cache la forêt ? Les partis ne se servent-ils pas du Smic, parce qu'il serait trop compliqué de s'attaquer aux autres composantes du salaire, par exemple les cotisations sociales ?

## Les cotisations sociales : un degré de complexité incompatible avec le débat public médiatique

Qui paye les cotisations sociales ? Principalement, le secteur actif, qu'il soit privé ou public, finance l'Unedic en charge du versement des allocations chômage. Les fonctionnaires ont demandé à cotiser aux Assedic dans un geste de solidarité quand bien même par définition, ils ne sont pas concernés par le chômage.

Le secteur actif finance donc les Assedic par les cotisations sociales, mais pas seulement.

Elles sont divisées en deux catégories : les cotisations

salariales et les cotisations patronales. Dans ce jargon, on peut comprendre que les salariés payent une partie de « l'assurance chômage » comme dans n'importe quel marché d'assurance à deux exceptions près : la première est que les fonctionnaires cotisent et la seconde est que les patrons cotisent également pour leurs salariés. Cela correspond au principe de la mutualisation des risques – tout le monde cotise – forcée par la loi.

Le montant total des cotisations sociales pour un Smicard additionné au salaire perçu par le salarié est de l'ordre de 1 500 euros. C'est en d'autres termes le coût minimum qu'une entreprise supporte lorsqu'elle emploie un salarié. Le salarié quant à lui ne touche en net que 900 euros. Le reste sert à financer les allocations chômages, les retraites et le système de santé. Le gouvernement a préféré ne pas laisser aux individus, d'une part, le choix de la compagnie qui va s'occuper de leur chômage, de leur retraite ou de leur santé et, d'autre part, il ne leur a pas laissé la possibilité de choisir le montant de leur couverture dans les trois domaines.

À l'extrême, il n'est pas possible à un individu de décider d'un investissement zéro et ainsi de transformer ses cotisations en un supplément de salaire. On décide pour les gens ce qui est bien pour eux. Dans beaucoup de situations, c'est préférable.

De plus, certains diront que les cotisations salariales – celles que récupéreraient le salarié – ne sont pas très élevées pour une personne au Smic. Et compte tenu de son niveau de rémunération déjà faible, il serait honteux en plus de leur donner la tentation de renoncer à la santé ou à la retraite pour quelques euros supplémentaires.

Les mots en la matière sont importants. Confucius disait que « lorsque les mots perdent leur sens, l'Homme perd sa liberté. » En réalité, les cotisations patronales n'ont jamais été payées par les patrons, mais par les salariés qui payent déjà les cotisations salariales.

Pour être plus précis, les patrons les ont payées les premiers mois. Il faut se rappeler que le salaire est un prix d'équilibre entre l'offre de travail et la demande de travail… le prix sur ce marché est le coût du travail, c'est-à-dire la variable qui est importante pour les entreprises dans leur décision de production.

Dans le monde précédent l'invention des cotisations salariales, ce coût du travail était exactement égal au salaire perçu par l'employé. Lorsque le gouvernement a décidé la mise en place des cotisations sociales, le coût de la main-d'œuvre a augmenté non pas du montant des cotisations salariales mais du montant des cotisations patronales. La demande de travail de la part des entreprises a été réduite s'ajustant à cette augmentation. Qui en a pâti ? Les employés percevant un salaire compris entre le coût du travail d'origine et le nouveau coût du travail. Ils se sont retrouvés au chômage. Quant à ceux qui avaient un salaire au moins égal au coût du travail après l'invention des cotisations, ils ont vu leur salaire net diminué du montant des cotisations salariales mais aussi patronales.

Les cotisations patronales relèvent de la rhétorique : en réalité, elles sont largement payées par les salariés. Évidemment, dans le modèle français, les choses sont toujours plus compliquées qu'elles n'y paraissent. Les entreprises peuvent faire passer les cotisations patronales en débit dans leur comptabilité ce qui réduit leurs impôts. En bout de chaîne, l'écart entre le salaire net et le salaire brut – vocabulaire inventé après l'apparition des cotisations – n'est pas aussi élevé qu'il n'y paraît. Mais, personne ne peut savoir de combien. C'est bien connu : quand on aime, on ne compte pas. Surtout en France. Et pour éviter une chute trop importante du salaire net, une politique économique s'impose : la mise en place du salaire minimum. La boucle est bouclée. Le modèle social est en marche.

Au bilan, pour éviter de donner le choix aux Français, mais aussi pour les forcer à cotiser à un système de soins, à l'assurance chômage ainsi qu'à la retraite – et c'est tant mieux – il est probable qu'une partie de la population a dû payer la facture en se retrouvant au chômage pour laisser la place aux autres vivant dorénavant dans un meilleur système. Ce raisonnement théorique est difficile à prouver avec des chiffres car par définition la situation alternative n'existe pas. C'est d'ailleurs la force de ce type de politiques économiques que de ne pas permettre de comparaison. Mais une chose est sûre : l'économie de marché a cela de terrible qu'elle apporte toujours la facture à la fin d'un bon repas.

## Des politiques économiques (miracles)
## contre les rigidités du marché du travail

Il est aussi de coutume aux moments des élections de considérer que tous les maux français viennent d'un marché du travail trop rigide ? Deux solutions : d'abord, faire qu'il ne ressemble plus à un marché. En effet, à voir les très bons scores de l'extrême gauche française, la France n'est pas loin de penser que le mal vient du marché et de sa propension à apporter la facture. Dans cette logique, le problème n'est pas la rigidité, mais bien ce qui reste de flexibilité. Une manifestation de cette flexibilité semble être les licenciements qui suivent toute politique jugée rigide par le marché. La solution : interdisons les licenciements. De cette façon, le gouvernement, *a priori* toujours bien intentionné et motivé par le bien-être des Français dans leur ensemble et pas uniquement de ses électeurs, pourra décider d'une politique économique et ne verra pas ses effets contrariés par le marché ou ce qu'il en reste.

Belle logique. Sauf qu'interdire les licenciements, c'est aussi interdire les embauches. En effet, la démonstration est la même que pour les cotisations sociales : au même titre que les cotisations patronales sont payées par les salariés en raison de l'anticipation des patrons, l'interdiction de licencier entraînera un ralentissement des embauches. Sans parler des entreprises étrangères qui n'investiront plus en France. Les seuls salariés à profiter d'une telle politique économique seraient ceux de nos pays voisins européens qui verraient des afflux d'entreprises et de capitaux dans leurs pays. Pourquoi se plaindraient-ils d'une France sociale ? À vrai dire, ils l'encourageraient.

Ensuite, l'autre solution serait de flexibiliser le marché du travail. On passe alors à un autre extrême. La variable visible qui englobe les rigidités du marché du travail est le Smic. Supprimons-le ! Ou à tout le moins diminuons-le ! Effectivement, c'est une solution si l'on considère qu'une partie du chômage aussi mince soit-elle provient de cette rigidité majeure. Mais diminuer le Smic, c'est aussi diminuer l'ensemble des prestations sociales offertes aux chômeurs et aux exclus. Autrement, qui voudrait travailler à un taux de salaire horaire trop proche des minima sociaux voire inférieur ! Réforme impossible sauf à faire exploser le modèle social français. Une autre solution serait de jouer sur les cotisations sociales. En les diminuant, on ne diminue pas le salaire des employés, mais on réduit le coût du travail. En gagnant un peu en flexibilité, les entreprises peuvent embaucher un peu plus.

Mais peut-on diminuer indifféremment les cotisations salariales ou les cotisations patronales ? Certains économistes en faveur du modèle social français actuel travaillent sur cette question. Ainsi, ils ne renient pas les leçons de l'économie néoclassique, mais se démarquent en terme de choix de politique économique en jouant sur la nuance. Ils utilisent les hypothèses des modèles économiques et renversent les conséquences. Très fort. Mais parfois on n'est pas très loin de l'idéologie. Ils démontrent qu'une baisse des cotisations patronales n'a pas le même effet qu'une baisse des cotisations salariales. Évidemment. La baisse des cotisations salariales conduit à une augmentation du salaire net des employés. Mesure politique forcément sympathique. Les syndicats n'y verront pas beaucoup de côtés négatifs. La face cachée de cette mesure est de les forcer à accepter une réforme de la sécurité sociale. En effet, une baisse des cotisations salariales entraîne forcément une baisse des recettes pour les organismes sociaux, toutes choses égales par ailleurs. Afin d'assurer le même niveau de prestations, il faut donc réformer... ou devinez quoi ? Augmenter les cotisations patronales ! Et ça, nos économistes dogmatiques ne le voient pas. Bien sûr, si les syndicats ne sont pas contre une baisse des cotisations salariales entendant la pression de leurs adhérents qui rêvent d'une augmentation de leur salaire net, ils savent bien qu'en politique, on pratique le « donnant donnant » et qu'ils devront céder sur les réformes. Mais en fait, ils ont encore le dernier mot : ils peuvent très bien faire mine d'accepter et même de promouvoir la baisse des cotisations salariales et ce que cela entraîne en non-dits et également pousser à une hausse compensatrice des cotisations patronales. Les patrons doivent payer !

Un autre avantage de la baisse des cotisations salariales est la réduction de ce que les économistes appellent l'effet de « participation », c'est-à-dire l'effet désincitatif des allocations sociales : un salaire net trop faible n'incite guère les chômeurs à retrouver du travail rapidement. En jargon d'économiste, leur coût d'opportunité n'est pas aussi élevé. Ils peuvent « apprécier » un peu plus longtemps leur situation d'allocataire. À l'échelle de la France, cela gène la croissance de la productivité dans le calcul du produit intérieur brut. Mais cet argument est évidemment politiquement incorrect. Comment la Gauche peut-elle l'utiliser ? En fait, ce n'est pas aussi compliqué. Mettre en œuvre une telle politique en utilisant cet argument revient à reconnaître que les allocations sociales ont des effets désincitatifs et ne sont donc pas neutres sur l'économie. Mais cela ne veut pas dire que les allocations doivent être remises en cause, une autre voie que celle de la réforme existe :

l'adaptation. La baisse des cotisations salariales en est une illustration. En augmentant le salaire net des employés, on diminue l'effet désincitatif sans toutefois *a priori* toucher au coût du travail.

Évidemment une telle mesure ne satisfait pas la Droite qui voudrait une baisse du coût du travail. Comment ? En baissant les cotisations patronales. Le salaire net des employés reste le même, mais le coût du travail diminuerait, incitant à l'embauche. Et ce débat sur les cotisations est dans l'intérêt de la Droite. En effet, diminuer les cotisations patronales est moins facilement acceptable pour les syndicats qui y voient une réforme des organismes sociaux sans compensation pour les employés. Mais où sont les chômeurs dans leur analyse ? La baisse des cotisations patronales peut permettre la création d'emplois selon les économistes de l'autre bord.

La réalité est un peu différente. La baisse des cotisations patronales ne diminue en rien l'effet désincitatif que représente les allocations sociales quelles qu'elles soient. Et en la matière, la loi inventée par l'économiste Jean-Baptiste Say, ou son contraire, ne fonctionne pas. En effet, la demande ne crée par l'offre : si la demande de travail de la part des entreprises augmente grâce à la baisse du coût du travail, cela n'a aucun effet sur l'offre de travail qui ne change pas compte tenu – selon une logique de droite – de la hauteur des allocations sociales et de la désincitation au travail qu'elles représentent.

Paradoxe intéressant : la Droite critique les allocations sociales en raison de l'effet désincitatif, mais ne peut pas utiliser cet argument trop souvent. Cela remettrait en cause l'argument selon lequel la baisse du coût du travail aurait un effet positif sur la création d'emplois.

## Smic et rigidités du marché du travail : l'approche française

Les Grecs avaient coutume d'appeler *hubris* la folie des grandeurs saisissant leurs héros, délire de démesure accompagnant la gloire, ambition d'outrepasser les limites de la condition humaine et de rejoindre celle des dieux.

À chaque fois qu'un gouvernement de droite est élu, la question du Smic rejaillit. C'est à n'y rien comprendre.

Pendant toutes les années où la Gauche était au pouvoir, les économistes de gauche nous expliquaient que le Smic n'avait pas d'effet négatif *prouvé* sur l'emploi – sous-entendu que d'autres régulations avaient des effets négatifs – et les économistes de droite prêchaient en faveur d'une diminution du Smic. Évidemment, les économistes qui ne sont ni de droite ni de gauche sont rarement écoutés.

À cette question sur les rigidités du marché du travail, les partisans d'un marché moins rigide proposent souvent une diminution voire une élimination du Smic. Mais le Smic est une rigidité parmi tant d'autres. Nous l'avons vu, sa réduction poserait quelques sérieux problèmes.

Le premier serait un conflit évident avec le montant des différentes allocations sociales. L'effet désincitatif, qu'il existe ou non aujourd'hui, a une probabilité non nulle d'être plus fort. La solution dans ce cas ? Diminuer les allocations sociales. Impensable. Comment baisser les allocations chômage pour éviter qu'un chômeur ne gagne plus qu'un salarié payé au nouveau Smic ? Comment baisser les allocations logement, le RMI, les allocations familiales, etc. ? Il ne s'agit plus d'un programme économique réformateur, mais d'une révolution !

Le second problème posé par la réduction du Smic serait d'ordre pédagogique. Il faudrait que les syndicats acceptent l'argument qu'une baisse du Smic entraînerait une augmentation de la création d'emplois. Pas facile de le comprendre pour plusieurs raisons. La première est que pour le non-économiste, si ce n'est pas mesurable, alors ça n'est pas possible ! En l'occurrence, comment mesurer des choses qui ne se sont pas encore produites ? La deuxième raison est qu'il n'est pas certain qu'une baisse du Smic entraîne une augmentation de la création d'emplois. D'autres rigidités peuvent être plus fortes. La troisième est que les syndicats vivent grâce aux salariés, pas aux chômeurs. Comment un syndicat pourrait-il justifier à ses membres qu'il a accepté une baisse de leur salaire pour servir les intérêts des chômeurs ?

On l'a bien vu avec les 35 heures, ce type d'argument portant sur le bien-être collectif a bien du mal à passer. Les 35 heures n'ont été acceptées par les Français que lorsqu'on leur a dit qu'ils allaient être payés 39 heures. Avant cela, au tout début de la campagne des législatives de 1997 lorsqu'il s'agissait de 35 heures sans précision sur le nombre d'heures payées, sous-entendu 35 heures travaillées payées 35 heures, la majorité des Français étaient contre... et même si l'argument portait sur la création d'emplois. Les

Français sont conservateurs quand il s'agit de leur propre personne et progressistes quand on parle du bien-être collectif. Bref, ils ont un grand cœur, mais le portefeuille bien fermé. Ils ont peut-être raison par les temps qui courent.

Une façon de contourner la difficulté pour un syndicat dans ce troisième cas serait d'expliquer que la baisse du Smic ne ferait pas baisser les salaires de ceux déjà employés, mais ouvrirait de nouveaux marchés du travail pour les moins qualifiés. Seulement, si le Smic a eu ce terrible effet de faire fuir les entreprises consommatrices de main-d'œuvre peu ou pas qualifiée vers les pays en voie de développement, alors il faut que ces entreprises reviennent en vue d'augmenter la demande de travail afin d'éviter une baisse des salaires.

À un tout autre niveau, si les syndicats utilisaient cet argument, ils reconnaîtraient que le Smic a eu des effets négatifs sur le marché du travail et qu'il a créé du chômage. Comment alors conquérir cette nouvelle clientèle représentée par les anciens chômeurs revenus sur le marché du travail ? Nul doute qu'ils développeraient quelques rancœurs.

Donc, le Smic semble être intouchable pour des raisons à la fois scientifiques et aussi pour des raisons de cohérence dans la rhétorique de chacun des partenaires sociaux.

## Le droit du travail :
## une réforme réservée aux élites

Une autre rigidité du marché du travail que l'on oublie souvent – peut-être parce que l'on a l'impression qu'il ne s'agit pas d'une mesure à impacts économiques – est le contrat de travail.

On ne devrait peut-être même pas parler de contrat. Dans le code civil, le contrat est la loi des parties. Ce qui sous-entend que les parties prenantes se sont mises d'accord sur les termes du contrat lui-même.

Que ce soit pour le contrat à durée déterminée ou pour

le contrat à durée indéterminée, aucun des deux ne vient contredire cette définition. Mais, les répercussions sont plus vicieuses parce que cachées. En matière de contrat de travail, il n'y a pratiquement pas de discussion sur l'ensemble des termes du contrat, si ce n'est la définition du poste et le salaire. Le reste est imposé le droit du travail.

Si cela respecte la lettre de la définition du contrat, il ne semble pas pourtant que cela en soit l'esprit. Lorsque les rédacteurs du code civil en 1804 ont écrit que le contrat est la loi des parties, ils sous-entendaient que les articles étaient négociés. Plus maintenant, et surtout pas en matière de travail où l'État moderne a créé un code à part : le code du travail. C'est normal. La société progresse et devient de plus en plus humaine. On ne va quand même pas travailler comme on le faisait au XIX$^e$ siècle.

Donc aujourd'hui, l'essentiel des termes du « contrat de travail » sont imposés par la loi dans l'intérêt des deux parties, mais ne le cachons pas et même vantons-nous : surtout pour protéger le salarié contre un employeur qui pourrait vous mettre à la porte sans scrupule.

Quel est le problème de cet exercice imposé ? En réalité, il n'y en a pas pour ceux qui contractent. Et c'est toujours la même chose : dans le monde du visible, tout est comme il le faudrait, mais dans le monde de l'invisible, on crée un nœud de vipères des plus compliqués. En effet, si vous signez aujourd'hui ce genre de contrat, que vous soyez employeur ou employé, c'est que vous auriez été prêts à le signer avant même la législation. Il faudrait être dupe de croire que cette législation ait forcé l'ensemble des employeurs à ne signer que des contrats avantageux pour les salariés. Les employeurs signant ce type de contrat signalent en fait qu'ils ont réellement besoin des employés offrant un capital humain jugé important.

Si certains pensent que cette mesure ait forcé tous les employeurs à revoir leurs contrats et à continuer à offrir du travail, c'est qu'ils continuent de croire qu'augmenter le Smic permet de forcer les patrons à augmenter tous les salaires. Pour que cela soit vrai avec le Smic, il faudrait interdire les licenciements. Et pour que cela fonctionne avec les contrats de travail, il faudrait interdire les délocalisations et interdire les licenciements aux futurs patrons, qui par définition ne savent pas encore qu'ils seront des employeurs un jour !

Et oui, si elle se nomme la partie invisible, c'est qu'elle n'est pas facile à saisir. Et c'est aussi pour cela que les programmes politiques portent toujours sur des mesures visibles plutôt que sur des améliorations de la partie invisible... trop longues, trop compliquées à expliquer et ne reposant que sur des conjectures. Bien malin, celui qui peut prévoir l'avenir en chiffres.

Un des effets pervers des contrats de travail encadrés est donc d'exclure du marché du travail certaines offres d'emploi qui auraient pu voir le jour avec la liberté de contracter : par exemple, travailler le dimanche, la nuit pour les femmes dans certaines activités, etc. ? Michel Camdessus, ancien directeur général du Fonds monétaire internationale (FMI), écrit en septembre 2004 dans un rapport destiné à Nicolas Sarkozy : « si un salarié français produit 5 % de plus par heure travaillée qu'un Américain, il produira 13 % de moins par an et 36 % de moins sur sa vie active ». Pour lui, une des solutions est la transformation du droit du travail\*. Mais, cela ne correspond pas au modèle social français. Les Français ont peur, sûrement à juste titre, que cela mène à des abus.

Pourtant avec un taux de chômage inférieur à dix pour cent, cela n'est-il pas la preuve que l'État a réussi à forcer les employeurs à accepter ces contrats de travail dits rigides ? Oui et non. Il est vrai que l'offre d'emploi de la part des entreprises est quelque peu inélastique : un employeur préférera supporter les coûts représentés par les rigidités plutôt que de se délocaliser. Mais dans le long terme, il s'agit toujours d'une augmentation des coûts à produire en France avec les signaux négatifs que cela envoie aux investisseurs étrangers.

Mais ce faible taux de chômage compte tenu de cette analyse un peu trop alarmiste démontre surtout que les employeurs sont prêts à ces concessions et l'auraient été sans ces rigidités en raison de la haute qualité du capital humain disponible. Les Français ont un niveau d'éducation élevé – seuls 9 % n'ont pas de livres à la maison contre

---

\* c'est aussi une des propositions du rapport Cahuc-Kramarz de novembre 2004

25 % en 1973 – et sont considérés très productifs, même si les prévisions sur la productivité française ne sont pas réjouissantes. Entre 1968 et 1996, la part des actifs sans aucun diplôme passe de 38 % à 18 %, alors que celle des titulaires d'un CAP ou BEP passe de 15 % à 30 %, de 8 % à 12,5 % pour le Bac et de 4 % à 21 % pour les diplômes du supérieur.

Alors, pourquoi avions-nous besoin de ces rigidités contractuelles ? Pour rassurer un électorat. À quel prix ? Celui de quelque dixième de pour cent de chômage – en effet, tout n'est pas de la faute de ces contrats...

Et les contrats encadrés ont cela de positif qu'ils sont un outil économique puissant à la charge du gouvernement. Ils lui permettent d'orienter l'économie française dans le sens du modèle social désiré par les Français. On parle toujours de la politique monétaire et de la politique budgétaire oubliant trop souvent que la politique « structurelle » est un outil plus efficace... mais plus compliqué.

En France, nous avons donc deux grandes familles de contrat de travail : les contrats à durée indéterminée ou CDI et les contrats à durée déterminée ou CDD. Ces deux types de contrat peuvent ensuite être divisés en deux familles : le temps plein et le temps partiel. Pas de difficulté pour le temps plein : c'est 35 heures. Pour le temps partiel, c'est plus délicat. L'État définit légalement ce qu'est un travail à mi-temps. Si vous voulez travailler moins de 19 heures par semaine, vous le pourrez mais il faudra bien connaître les arcanes du droit du travail. En offrant trop de flexibilité sur la durée du temps de travail, on aurait trop peur qu'un patron n'abuse de la crédulité de ses salariés menant à un marché du travail précaire. La conséquence : si vous ne voulez pas travailler à temps plein, une société vous laissera travailler à mi-temps, un point c'est tout.

Pourtant en la matière, la flexibilité voudrait que l'on puisse choisir sans différence de traitement juridique le nombre d'heures de travail. Une mère de famille voire un père pourrait choisir son travail à la carte. Oui, mais quel employeur voudrait respecter ses désirs ? Quand le taux de chômage est supérieur au taux de chômage naturel, ce sont les employeurs qui décident, pas les demandeurs. Pourquoi ne pourrions-nous pas imaginer une situation dans laquelle il est trop coûteux – compte tenu des autres rigidités du marché du travail – pour un petit employeur d'employer quelqu'un à temps complet alors qu'il serait intéressé par un contrat à temps négocié ? Ce type de contrat pourrait correspondre exactement aux besoins de cette petite entreprise. On a cru à une certaine époque que le « travail à temps partagé » serait la réponse, notamment en profitant des ressources technologiques actuelles, par exemple par le travail à domicile.

## Plus que des politiques économiques, un nouveau contrat social

Le prix Nobel d'économie, James Buchanan, parlait de « contrat social. » Les Français préfèrent interdire certaines pratiques surtout quand ils pensent que cela ne coûte rien à l'économie ou qu'on le leur laisse entendre. Une mauvaise information ou une absence d'éclairage – la langue de bois –, n'est-ce pas une violation du contrat social ? Les Français voudraient-ils toujours de leur modèle social s'ils en connaissaient le prix ? Par exemple, le travail qui n'est pas fait le dimanche est supposé être reporté sur le reste de la semaine. C'est probablement vrai pour une grande partie du travail – qui aurait été fait le dimanche –, mais pas pour tout. Et c'est aussi oublier un concept plus délicat à comprendre et donc à expliquer : l'innovation. Moins d'activité conduit à moins d'idées nouvelles dans les processus de fabrication, dans les gains de productivité, dans la formation sur le tas des employés – tout ce que l'on n'apprend pas à l'école – dans les produits eux-mêmes, etc. Vous me direz justement que c'est « marginal », pensant « secondaire ». Oui, mais à force de penser que tout est secondaire, cela commence à compter. Le dimanche représente un septième de la semaine, soit 14 %. Même si 90 % de l'activité est reportée sur la semaine, 1,26 % d'activité est quand même perdue. Cela s'ajoute à la baisse de l'innovation qui se traduira par des pertes d'activité futures… et cette fois mesurée pendant la semaine.

Deux autres arguments viennent encore renforcer l'idée de la perte d'activité. Le premier porte sur les « contraintes de capacité ». Dans certains secteurs, les contraintes de capacité sont fortes. Par exemple, interdire aux camionneurs français de rouler le dimanche, ce n'est pas reporter toute l'activité du dimanche pendant la semaine. En effet, il y a un stock de camions, de chauffeurs, etc. et un stock d'autoroutes ! Toutes ces contraintes de capacité empêchent de rattraper l'ensemble du retard.

À cela, s'ajoute le deuxième argument : celui de la concurrence internationale. Trop souvent, la tendance en France est de penser que nos mesures de politique économique n'affectent que nous. Non. S'il y a des effets négatifs que l'on pense pouvoir contrôler, on se trompe. Bien souvent, ces effets négatifs se retrouvent être des effets positifs pour l'étranger. Ainsi, les camionneurs des pays limitrophes européens sont bien heureux de récupérer les parts de marché que les camionneurs français laissent le dimanche et se sont même organisés pour faciliter les relations avec les clients français en créant des centres de stockage aux frontières. N'oublions pas non plus la partie invisible : une fois que vous avez une bonne relation client-fournisseur avec votre entreprise de transport étrangère, que celle-ci vous fait de bons prix, vous la gardez pour la semaine aussi.

Il faut faire attention de ne pas ouvrir la France trop

facilement à la concurrence internationale\*. Dans ce cas, nos politiques économiques font l'effet d'un tapis rouge déployé sous les pieds des entreprises étrangères – qui restent à l'étranger pour ne pas tomber sous le coup de la législation française. Ces avantages concurrentiels sont donnés à celles-ci aux dépends de nos propres entrepreneurs. Le résultat est une moins grande disparité des salaires : lorsque l'on mesure les inégalités, on peut se réjouir. Mais à quel prix !

S'il fallait une autre preuve que les petits comptes sont importants, le taux de chômage en est une. Un taux de chômage réel supérieur à un taux naturel signale un problème dans l'économie. Bien sûr, la part de responsabilité du contrat de travail est faible dans ce chômage... comme l'est le Smic, comme l'est la fiscalité, etc. Mais à la fin, tous ces éléments secondaires ont un effet marginal important et finissent par compter. Personne ne semble faire l'addition. Au moment des grandes discussions sur

---

\* Comme ce fut le cas lors de la signature du Traité Commercial avec l'Angleterre en 1786 qui a ravagé l'industie textile Française au profit du Lancashire.

les réformes en vue de diminuer le chômage et ses implications sociales négatives – défaut d'intégration des jeunes, délinquance, etc. – chacun se concentre sur les micro-problèmes (le Smic, la santé, la fiscalité, etc.) au lieu de voir le modèle dans son ensemble. À force de se concentrer sur les micro-problèmes, on finit par vouloir entreprendre des réformes radicales sur chacune des présupposées sources au chômage afin d'avoir un impact sur ce mal. En effet, une petite réforme sur une seule des sources ne changerait pratiquement rien. Le résultat ? Une fronde sociale. Les syndicats s'opposent. Qui s'en plaindrait ? Ils ont raison.

L'avantage à considérer le modèle social dans son ensemble est de proposer non pas des réformes, mais des adaptations marginales – les économistes aiment l'analyse à la marge – sur l'ensemble des micro-problèmes. Adaptation marginale ne signifie pas adaptation secondaire. Cela veut dire que l'on tient compte de l'ensemble des conditions initiales de l'institution considérée. Après tout, ça ne marche pas si mal. Et la tendance n'est pas à la récession. Il faut donc améliorer, chercher des moyens pragmatiques pour rendre encore plus efficaces – plus rentables – nos institutions sociales. La méthode de la « table rase » ne fonctionne pas en France : tant mieux, car cela voudrait dire que l'on s'y est pris trop tard.

## Flexibiliser les contrats de travail

Quels seraient les véritables dangers de plus de liberté dans le contrat de travail ? Essayons dans ce qui suit de faire la part des choses entre l'imaginaire collectif et la réalité.

Premièrement, un employeur pourrait forcer ses employés à travailler jour et nuit, sept jours sur sept. La réponse est facile et existe déjà dans la législation : il suffit de fixer un plafond d'heures consécutives qu'un employé peut travailler ainsi que le nombre d'heures maximales par semaine. C'est déjà le cas. Oui, sauf qu'en plus, on y ajoute l'interdiction de travailler le dimanche ou la nuit pour les femmes dans certaines activités… sans compter toutes les autres interdictions. Il s'agit donc d'un ajustement « marginal. » Mais les syndicats sont souvent contre toute réduction de ce qu'ils interprètent comme étant les acquis. Les progrès sociaux ne peuvent venir que de la grande « conquête sociale », en d'autres termes par la lutte politique contre le gouvernement et les revendications en général. Pourquoi ces acquis devraient-ils venir uniquement du politique et non de l'économie ? Une amélioration des salaires suite à une embellie économique, n'est-ce pas enviable ? Évidemment, dans une perspective syndicale, il ne s'agit pas d'un acquis : ce que l'économie nous donne d'une main, elle peut le reprendre de l'autre. Sauf que si les conditions sont réunies, l'amélioration est durable.

Deuxièmement, le travail au noir et l'emploi des clandestins diminueraient. En effet, en théorie, l'ensemble de la population signant les contrats de travail – demandeurs comme offreurs – est d'accord sur les termes et conditions et l'aurait signé de la sorte sans législation. Il reste pourtant certaines personnes qui n'auraient pas signé ce genre de contrat parce que désireuses de travailler dans d'autres conditions, le dimanche par exemple. Ces personnes, si elles trouvent un patron peu scrupuleux, vont travailler au noir le dimanche ou la nuit, etc.

Plus grave encore est la situation des clandestins. Ils n'ont plus rien à perdre et ne peuvent, par définition, ni entrer sur le marché du travail légal ni bénéficier d'allocations. Après avoir fui leur pays, ils doivent trouver des moyens de subsistance en France. Il se trouve parfois un patron peu scrupuleux leur offrant un travail harassant et inhumain à peine rémunéré.

Est-ce dans cette direction que mènent l'économie de marché et la liberté des contrats de travail ? D'une part, cette situation est le fruit justement de la législation du travail pour ce genre de personnes peu qualifiées et surtout sans droits ! Ces gens n'ont jamais été intégrés et voient leur entrée sur le marché du travail légal interdite. D'autre part, plus de liberté dans les contrats ne veut pas dire l'anarchie. Encore une fois, il ne s'agit ni d'une réforme ni d'une révolution, il s'agit juste d'une adaptation. Les grands principes du droit du travail restent les mêmes. Travailler le dimanche par exemple est juste un moyen d'offrir une petite bulle d'oxygène au marché du travail. Et en ouvrant un septième jour, les magasins gagnent 14 % d'activité, représentant le passage de 6 jours à 7 jours*. Évidemment, ce ne sont pas les mêmes employés qui allongeraient leur temps de travail, mais bien de nouvelles embauches. Et là, la règle derrière les 35 heures fonctionnerait. Car ici, on ne parlerait pas de partager l'activité de la France, mais bien d'augmenter cette activité. Les gens consommeraient-ils davantage pour financer cette nouvelle activité ? Les nouveaux employés certainement. Mais faisons une démonstration par l'absurde. En effet, si la question était fondée, cela voudrait dire qu'indifféremment on pourrait n'ouvrir les magasins qu'une journée par semaine sans baisse d'activité. Irréaliste ? Alors, une septième journée, c'est vraiment de l'activité supplémentaire. D'autant plus que dans ce genre de situation, les machines amorties uniquement pendant 6 jours et parfois pas la nuit, pour-

---

* Aujourd'hui par exemple, le prêt-à-poster peut avoir cinq dimanches par an. Augmenter ce nombre et le généraliser à d'autres secteurs offriraient de nouvelles perspectives.

raient maintenant tourner pendant 7 jours, encore une fois pas avec les mêmes équipes. Et la France verrait sa productivité augmenter : le coût de production unitaire diminuerait et de nouveaux marchés seraient gagnés.

D'accord, travailler le dimanche, c'est politiquement incorrect. Quelle que soit la référence – religieuse ou les acquis qui remontent à une époque où l'on travaillait 60 heures par semaine – la France ne veut pas travailler le dimanche. Il suffirait pourtant de se prémunir contre les effets pervers par une législation adaptée et de rappeler aux gens qu'autoriser le travail le dimanche, ce n'est pas faire plus de 35 heures par semaine... c'est simplement autoriser de nouveaux emplois. Quand l'économie française n'y arrive plus, il n'y a pas de mal à se servir de ce que l'on a encore comme possibilité pour redonner de l'élan sans pour autant renoncer à aucun de ses acquis.

Et n'oublions pas que si l'on ne joue pas sur les quantités, il faudra jouer sur le prix. En matière de marché du travail, le prix c'est le salaire. Et je ne crois pas que les Français soient prêts à accepter un salaire plus faible pour donner un peu d'oxygène au marché du travail.

Troisièmement, il est bon parfois d'arrêter de penser en des termes collectifs. Toute la législation actuelle ne s'applique pas de la même façon à l'ensemble de la population. Les cadres, par exemple, ont signé des contrats de travail aussi stricts que les employés mais ne les appliquent pas à la lettre et acceptent une interprétation plus libérale du contrat sans aller tout de suite aux prud'hommes. Quelles en sont les conséquences ? Si vous êtes une entreprise et que vous hésitez entre embaucher un agent de maîtrise régi par la convention des employés ou un ingénieur régi par la convention des cadres, vous serez incité à transformer la description du poste afin d'en faire un poste de cadre même si vous embauchez la même personne que celle que vous auriez embauchée au poste d'agent de maîtrise. Avec le statut de cadre, votre employé se sentira valorisé et fera comme tout le monde : il travaillera plus et oubliera la lettre de son contrat pour se souvenir uniquement de l'esprit. En jargon économique, le prix relatif d'un cadre a baissé par rapport à un employé.

Quelles sont les répercussions ? On donne un avantage comparatif supplémentaire aux personnes les plus diplômées, excluant encore un peu plus les démunis du marché du travail ou rendant encore un peu plus difficile leur accès au marché du travail. Les populations touchées sont les personnes peu qualifiées ou sans expérience professionnelle. Les jeunes sont encore concernés. Et lorsque l'on sait cela, comment voulez-vous être motivé et travailler à l'école ? Vos chances semblent minces d'intégrer le marché du travail en tant que salarié et la création d'entreprise, c'est-à-dire la création de votre propre emploi, semble relever du parcours du combattant vu la complexité du modèle ! Et les favorisés – les cadres dans cette situation – sont encore davantage privilégiés, en termes relatifs.

Encore une fois, on croit à force de raisonnement sans prise en compte de la dynamique économique qu'une mesure politique n'a pas de coût et que tout est pour le mieux dans le meilleur des mondes. Non. Il y a forcément des laissés-pour-compte.

Évidemment, quelle est l'alternative ? Laisser travailler les gens à un salaire inférieur au Smic alors que celui-ci n'est déjà pas tellement élevé ? Vous souvenez-vous du Smic jeune d'Édouard Balladur ? Cette mesure allait dans ce sens. L'avantage attendu est que les jeunes intègrent le marché du travail et donc augmente leur « employabilité » à des salaires supérieurs à l'avenir. Un autre avantage est qu'il vaut mieux avoir une jeunesse avec de l'espoir qu'une jeunesse désespérée.

La face cachée est qu'une telle mesure peut ne pas être efficace en raison des allocations sociales et de leur effet désincitatif. Le Smic jeune peut ne pas attirer les jeunes qui sont déjà en dehors du marché. De plus, en les forçant à accepter un salaire inférieur, cette mesure faisait supporter par les jeunes le fait que le gouvernement ne s'attaque pas au montant des cotisations sociales prélevées sur ce Smic. Évidemment, il est politiquement plus risqué d'affronter les syndicats que les jeunes au chômage par définition inorganisés. Jusqu'à une époque récente, les syndicats de chômeurs n'existaient pas. Et aujourd'hui, très peu de chômeurs sont syndiqués. Cela explique peut-être pourquoi les syndicats s'intéressent plus à la protection de ceux qui travaillent qu'à ceux au chômage. Le fait est que cela suit une logique de marché et de consumérisme qu'ils critiquent.

Mauvaise langue ? Peut-être. Mais la vérité est-elle aussi éloignée ?

Pourtant, la mesure a été rejetée. On a quand même créé des mesures similaires suivant le même raisonnement : les Contrats emplois solidarité (CES) et Emplois-Jeunes, parmi tant d'autres.

Maintenant, la question est de savoir si l'on doit pour autant abandonner une politique sous prétexte que certaines personnes en souffriraient ? Évidemment non. Le rôle de l'homme politique consiste d'ailleurs à faire des choix : juger à partir de quand les inconvénients contrebalancent les avantages. Le problème est qu'en France on ne parle jamais des coûts des politiques. La conséquence est que parfois les effets d'une politique sont exactement contraires à ceux escomptés à l'origine.

## Accélérer les départs à la retraite : un pan de la culture économique française

Quand on parle de retraites, on entend souvent les critiques portées sur les avantages des fonctionnaires par rapport aux employés du secteur privé. Là où les derniers avaient droit à une pension de retraite à taux plein après avoir cotisé pendant 40 ans, seules 37 années et demie de cotisation étaient exigées des agents publics avant l'été 2003. Là où les 25 meilleures années de carrière servent de référence au calcul des retraites des salariés du privé, la pension des agents publics est calculée par référence aux six derniers mois de traitement. Là où les premiers acquittent des cotisations égales à 9,55 % de leur salaire, les agents publics ne cotisent qu'à concurrence de 7,85 % de leur traitement. Enfin, là où les retraites des salariés du secteur privé sont indexées sur l'évolution des prix, les pensions des fonctionnaires sont indexées sur les traitements des agents en activité.

Bien pire encore, les fonctionnaires auraient accès à la retraite par capitalisation par l'intermédiaire de la Caisse nationale de prévoyance de la fonction publique appelée communément Préfon. Cette association revendique la retraite par capitalisation – souple et fiscalement entièrement déductible du revenu – afin de : « compenser la chute des revenus des fonctionnaires au moment de leur retraite, les pensions [par répartition] n'étant calculées que sur leur seul traitement sans intégrer les primes. » Quelle que soit leur place dans le paysage social, les syndicats sont unanimes à revendiquer la consolidation de la retraite par répartition. Parmi les sept signataires de la déclaration commune du 6 janvier 2003 sur les retraites – CFDT, CFTC, CGC, CGT, FO, FSU, UNSA –, seule la centrale cédétiste est ouvertement favorable à la création d'un troisième pilier (capitalisation ou épargne salariale) en complément de la Sécurité sociale et des régimes complémentaires (Arrco et Agirc) ; l'UNSA et la CFTC l'admettent implicitement. Les autres, en particulier la CGC et le G10-Solidaires, sont contre. Bizarrerie des temps, la Préfon a été fondée en 1964 par les fédérations de fonctionnaires CFTC, CFDT, CGC, CGT-FO ainsi que l'UGCSFP. Comment se peut-il que les syndicats mettent en place et gèrent encore aujourd'hui un organisme de retraite par capitalisation pour les fonctionnaires et qu'ils le refusent aux salariés du secteur privé ? La réponse doit être certainement davantage politique qu'économique.

La question des retraites suit un raisonnement comptable plutôt qu'économique. Comment les gens peuvent-ils s'entendre quand ils parlent deux langues différentes ? Les objectifs comptables ne sont pas les objectifs économiques. Ainsi, accélérer les départs à la retraite serait une solution au chômage. Si on effectue un simple calcul comptable, c'est absolument vrai. Comment n'y a-t-on pas pensé plus tôt ? Les syndicats appelaient à une diminution de la durée des cotisations dans le secteur privé à 37,5 annuités contre les 40 actuelles afin de les ramener au niveau du secteur public. C'est normal. Mais comme le système par répartition est un système d'ajustement par les quantités, une des façons de l'équilibrer est de jouer sur les quantités : le nombre de trimestres, la période du salaire de référence, etc. Évidemment, ces variables ne sont modifiables que pour les groupes qui ont moins de force dans les négociations, en l'occurrence le secteur privé. Ceci ne veut pas dire qu'il faut donner moins de force au secteur public. Il s'agit juste d'une description de la dynamique du système d'ajustement par les quantités inhérent au système par répartition.

Faisons partir à la retraite 3 millions de personnes et nous aurons un chômage zéro ! Mais comment financer ces nouveaux retraités ? La réponse est toujours aussi simple : on économise 3 millions de personnes percevant des Assedics. Utilisons cette économie. Évidemment, la population active reste la même : 3 millions de personnes sont sorties et 3 autres sont entrées. Nous avons 3 millions de nouveaux retraités et 3 millions de chômeurs en moins.

Voilà le bilan comptable. Bon, peut-être que les économies réalisées par les Assedics ne permettraient pas de financer complètement ces nouveaux retraités, mais est-ce que l'on ne pourrait pas faire d'autres économies ? La santé d'un jeune retraité est peut-être moins coûteuse pour la société que la santé d'un chômeur. Pourquoi pas.

Une première hypothèse au modèle est que l'on trouve 3 millions d'actifs désireux de partir à la retraite et de percevoir une rémunération forcément inférieure à celle qu'ils ont actuellement. Admettons que nous les ayons.

Que se passerait-il en dynamique ? Le chômage serait-il définitivement endigué ? La réponse est non. Une autre hypothèse de ce modèle est que l'économie du pays est stable et vit sur un certain nombre d'actifs invariable. Évidemment, cela ne se passe pas comme cela. Si l'économie est en croissance, elle crée de l'emploi. L'inverse est vrai. En cas de récession, une partie de cette population active va se déverser sur le chômage. Pour éviter tout problème, appliquons la même règle et faisons partir à la retraite l'équivalent de ce nouveau chômage.

Oui. Mais en cas de croissance maintenant ? Où allons-nous chercher la main-d'œuvre ? Allons-nous demander aux retraités de retravailler ? Évidemment non. Dans un tel cas, la différence entre un retraité et un chômeur ne serait que sémantique ! Il faudrait alors faire appel à l'immigration. Pas facile dans le contexte politique actuel. De plus, d'un point de vue économique, la population active augmenterait avec l'immigration suivant exactement – faisons confiance aux experts du gouvernement – l'augmentation de la croissance. Mais à la prochaine récession, l'histoire se répéterait. Bref, une France où le nombre de retraités ne cesserait d'augmenter. Qu'en serait-il des financements de retraites ? Ils sont déjà en difficulté et le seraient encore plus. Si l'on regarde les cotisations aux caisses de retraite sur les fiches de paie, il faut au minimum 3 actifs pour financer un retraité payé au niveau du Smic. Donc, à chaque fois que l'on met quelqu'un en retraite, il faudrait que l'économie crée 3 nouveaux emplois. Même si l'on utilise les économies des Assedics, il faut quand même que l'économie nationale soit créatrice d'emplois et pas seulement « redistributrice » des emplois existants.

De plus, les immigrés venus au secours de la France en

pleine croissance et en pénurie de main-d'œuvre peuvent ne pas avoir cotisé suffisamment longtemps pour renflouer les caisses de retraites et permettre de financer les nouveaux retraités en cas de récession.

Pourquoi ne pas utiliser l'impôt ? Parce qu'il n'est peut-être pas opportun d'ajouter à une récession une augmentation de la pression fiscale.

Vous l'aurez compris, dans nos sociétés modernes rythmées par les médias, il est plus facile pour un homme politique de proposer un programme électoral basé sur les départs à la retraite et donc la défense d'une vision comptable des retraites que d'expliquer la dynamique économique et l'incohérence, sinon le danger, d'un tel projet.

Accélérer les départs à la retraite n'est pas une solution au chômage. Au contraire, il s'agit de l'entrée dans une spirale infernale vers une société de retraités sans actifs. Aussi, défendre un tel projet devant l'opinion publique, c'est lui donner de fausses espérances et lui faire croire à de fausses lois économiques. Au final, s'accrocher par idéologie au système par répartition, c'est le pousser vers les abymes. Les défenseurs de ce système finiront par avoir exactement le contraire de ce qu'ils veulent au prix de retraités sans retraite.

Il fut un temps où les philosophes éclairaient le peuple. Ce siècle portait le nom de siècle des Lumières. La démocratie a besoin d'un peuple éclairé. Où sont nos philosophes modernes ? Et éclairent-ils le peuple dans la bonne direction ? Gustave Le Bon dans *Hier et Demain* écrivait : « Le véritable progrès démocratique n'est pas d'abaisser l'élite au niveau de la foule, mais d'élever la foule au niveau de l'élite. »

Diffuser des abstractions flottantes comme l'écrivait la philosophe américaine Ayn Rand, c'est mettre en danger la paix sociale. Un certain type de modèle social français vaut-il la peine de prendre un tel risque ? À voir.

# Mondialisation ou globalisation :
## la confusion des genres

En matière d'économie, la France a souvent pensé que l'enfer c'était les autres. Étrange. Quand on creuse un peu la littérature économique, on s'aperçoit que de nombreux fondateurs de la pensée économique sont Français et qu'ils ont contribué à l'apparition au XIX<sup>e</sup> siècle de la théorie des avantages comparatifs de l'économiste anglais David Ricardo. Appliquée aux échanges internationaux, cette théorie nous enseigne qu'un pays se spécialisera dans la production des biens pour lesquels il a des avantages compa-

ratifs : le soleil de l'Espagne lui procure un avantage comparatif dans la production de vin, etc.

Et si l'on est meilleur pour tout, les autres pays sont-ils
voués à la disparition ? En France, une idée populaire est
que l'économie est un jeu à somme nulle où quelqu'un
gagne ce que l'autre perd, mais où jamais les deux parties
ne gagnent en même temps. Pourtant, à bien y regarder,
un pays meilleur en tout est forcément meilleur dans la
production d'un type de biens particuliers. Dans ce cas, il
aura intérêt à se spécialiser et à laisser aux autres le soin
de la production du reste. La morale de cette histoire, dirait
Jean de la Fontaine, c'est qu'on a toujours besoin d'un
plus petit que soi.

Simple ? Peut-être. Puissant ? Assurément. Pourtant la
réalité de la mondialisation est moins claire que la théorie des avantages comparatifs. C'est ici que l'on peut faire
la différence entre mondialisation et globalisation. La
mondialisation est l'internationalisation des échanges : un
phénomène qui a commencé avec les premiers échanges.
La différence entre un échange au sein d'un même pays
et un échange entre deux pays différents est par définition

une question de frontières. En ce sens, la mondialisation permet l'acceptation de l'autre et de façon ultime la paix. Le rejet, c'est la guerre.

La globalisation, c'est la domination des pays riches sur les pays pauvres. En d'autres termes, une forme de perversion de la mondialisation. Comme s'il n'était pas possible de vivre dans un monde idéal. Et c'est tellement vrai. Les détracteurs de la globalisation sont souvent aux extrêmes de l'échiquier politique. L'extrême gauche est contre la globalisation car contre le capitalisme. La globalisation correspond à la domination du plus fort sur le plus faible. L'extrême droite est contre la globalisation car c'est la perte d'autonomie nationale et la diminution de la place de la France au plan de la politique internationale.

Le seul point commun entre les deux extrêmes porte sur l'idée que la globalisation va écraser les identités culturelles. Le rouleau compresseur du capitalisme, conduit par les Etats-Unis, ne ferait que quelques bouchées des identités nationales.

Quand on parle de mondialisation, les gens appellent à l'organisation des échanges mondiaux. Ils demandent la création d'institutions internationales. Les gouvernements répondent qu'elles existent déjà et qu'elles dépensent des sommes importantes dans le développement des pays pauvres : la Banque mondiale et le Fonds monétaire international (FMI). À cela, le public répond que ces institutions ne sont pas démocratiques au sens où aucun citoyen n'a voté le budget et la façon dont l'argent devait être alloué.

Pourtant, il vaut peut-être mieux parfois faire confiance aux experts. Un autre reproche est que cet argent dépensé dans ces pays ressemble souvent à de l'argent investi. Les multinationales arrivent et tout en participant hypothétiquement au développement du pays, elles renforcent leurs positions hégémoniques.

Au plan éthique, le public dénonce aussi une forme d'exploitation des pays les plus pauvres : les enfants travaillent très jeunes, les conditions de travail sont précaires et, pour faire vite, le coût de la main-d'œuvre est le seul intérêt des multinationales. On a plutôt l'impression qu'on assèche l'économie du pays au profit des consommateurs des pays développés. Cela semble d'autant plus vrai que les capitaux générés dans ces pays prennent souvent la route des pays développés.

C'est à la fois faux et vrai. C'est faux, car la multinationale implantée dans un tel pays bénéficie du système mais pas plus que l'économie nationale elle-même. Même si c'est condannable, les enfants auraient dû travailler dans les champs plutôt que dans la multinationale. D'un point de vue théorique, plus il y a de demande de travail dans ce pays en raison de l'implantation des entreprises et plus les salaires et conditions de travail s'améliorent. Le modèle a bien fonctionné pour les pays aujourd'hui développés. Alors, pourquoi ne fonctionnerait-il pas pour les autres ? Mais, un autre aspect est que l'on pourrait leur éviter de perdre du temps et aller directement à l'essentiel. Plutôt que d'attendre que l'économie s'accélère d'elle-même et que les parents comprennent qu'il est plus bénéfique de mettre leurs enfants à l'école que dans une usine, ne vaut-il pas mieux travailler sur des programmes d'éducation ? Assurément.

Mais quels sont les effets pervers de l'internationalisation ? Bien souvent, les citoyens du monde développé pensent que leur modèle de développement sert de référence. Pourtant, il y a peut-être d'autres mesures de la richesse que celle du Produit intérieur brut. Aussi, les Français ne sont pas toujours heureux d'entendre que le président de la République fait grâce à un pays en voie de développement de quelques remboursements d'emprunts. Et dans le même temps, ils rejettent bien souvent le système capitaliste.

Les Français ont peur de la globalisation, peur de voir leur identité disparaître. Peut-être est-ce le prix à payer pour un monde plus pacifique ? Les disparités culturelles ont engendré aussi le sentiment de supériorité de certains pays à différentes époques. Et les disparités semblent mener inexorablement au conflit. De plus, qu'est-ce que l'identité culturelle française ? Doit-on plutôt parler d'identités culturelles au pluriel ? C'est peut-être cela que les Français veulent défendre. On voit ici qu'elles n'ont pas disparu avec la centralisation du pouvoir dans les mains de Louis XIV, que le grand marché français qui en résultait et l'accélération des échanges n'ont pas nui à la diversité culturelle. Même la langue française imposée de force n'a pas écrasé et homogénéisé la culture française. On peut parler la même langue et manger différemment.

L'adage nous dit que la peur n'évite pas le danger. Craindre la mondialisation, c'est se replier et finalement disparaître. Affronter la mondialisation, c'est s'y adapter et la dompter.

Les Français ne sont pourtant pas couards. Le destin de la France est inscrit dans la mondialisation. Beaucoup des grandes entreprises françaises sont les leaders sur leur marché. Les marques françaises se promènent partout dans le monde. Et la réputation française est encore très haute. Dans les faits, les Français sont bien présents à l'étranger. Alors pourquoi ces débats politiques ? Parce qu'il est plus payant d'apparaître comme un sauveur que comme un optimiste. Le sauveur apportera des solutions. L'optimiste dira qu'il ne faut rien changer car tout va pour le mieux dans le meilleur des mondes.

Il est aussi plus facile de dire que nos maux viennent de l'extérieur. Nous n'y sommes pour rien et nous subissons. Nos hommes politiques forcément bienveillants sont là pour adapter notre économie à ces différents chocs exogènes, en d'autres termes venus de l'extérieur. C'est un peu l'image du pieu chevalier qui protège la France et l'aide à rayonner dans le monde. Sauf qu'aujourd'hui, le rayonnement de la France dans le monde est un sujet oublié des hommes politiques. En ces temps difficiles, ils ne considèrent plus que la protection. Et quand on parle du monde, on ne parle pas de la France dans le monde, on parle de la globalisation et de ses effets dévastateurs sur l'économie et, pire encore, sur la société française.

En plus de défendre l'idée que la perte d'emplois en France est de la responsabilité des politiques économiques aléatoires menées par les gouvernements précédents, les hommes politiques ont ajouté une dimension extérieure : la globalisation. « Je ne me résigne pas à la mondialisation... le gouvernement n'accepte pas les licenciements qui ont été décidés par Marks and Spencer et Danone » affirmait Lionel Jospin en avril 2001, sans s'expliquer davantage. Oui, il faut faire attention, mais sans tomber dans l'extrême de tout rejeter en bloc. Il fut un temps où les hommes politiques menaient leur pays dans une direction éclairée. Charles De Gaulle était aimé et détesté pour cela. Aujourd'hui, les hommes politiques engagent des spécialistes du marketing pour soigner non seulement leur apparence mais aussi leurs programmes. Ces spécialistes des sondages leur expliquent qu'il faut viser tel ou tel groupe de la population française pour avoir une chance de rallier ce que l'on appelle « l'électeur médian. » Les programmes sont là pour satisfaire l'électeur-consomma-teur-téléspectateur. Même les communistes s'y mettent. Une part du budget du parti communiste part dans le finan-cement d'études de marché. Pas très convaincant pour le malchanceux Robert Hue.

En 1981, François Mitterrand avait engagé un jeune publicitaire réellement talentueux, Jacques Séguéla. Des slogans furent trouvés pour résumer en quelques mots le programme. En 1981, *La force tranquille* du « fils de pub » est reconnu comme étant un des éléments de la réussite de Mitterrand.

Certes, tout n'est pas à jeter. Mais si tout n'est pas noir, tout n'est pas rose non plus. En 2002, Jacques Séguéla se retrouve à nouveau invité à une table de campagne. Cette fois, c'est celle du candidat Jospin. Une campagne précipitée, un programme rédigé dans le dernier mois et un manque de concentration sur le premier tour, voire un peu trop de confiance, ont mené le candidat Jospin à la démission politique. Certainement pas la faute du talentueux Jacques Séguéla, sûrement pas assez écouté.

La mondialisation est-elle responsable ? Plutôt le manque de leadership en France. Personne ne semble savoir quoi faire et où aller. Les Français attendent qu'on les écoute. D'accord. Mais ils veulent aussi qu'on les éclaire. À force de les écouter et d'essayer d'acheter des votes par des promesses électorales, on finit par leur donner l'impression qu'on les infantilise. Ils veulent aussi qu'on les conseille et qu'on les mène dans la bonne direction. Et là, les hommes politiques sont aux abonnés absents.

Formés à l'école des sondages et de la théorie de l'électeur médian, ils ont peut-être perdu le sens de la définition du rôle présidentiel. La Nation n'est plus qu'une collection de groupes bien identifiés et la République est un mode de gestion. L'Ecole nationale d'administration (ENA), souvent critiquée pour former des technocrates, sert de garde-fous en insistant sur le rôle de l'État. Mais, la pratique politique éloigne ces anciens brillants élèves de ces leçons. C'est sans doute humain.

Les Français attendent pourtant plus que ça. Leur problème n'est pas que le gouvernement prenne en charge la gestion de la société en propre par des politiques interventionnistes. Ils sont loin des querelles idéologiques. Ils veulent maintenant qu'on trouve une solution aux maux de la France : le chômage latent, le financement des retraites et de la sécurité sociale, etc. ; que l'on arrête les débats idéologiques ! Il fut un temps où les débats étaient appelés « querelles d'intellectuels. » Aujourd'hui nos hommes politiques campent sur des idéologies qui n'ont plus rien d'intellectuelles. De l'extérieur, la France apparaît bornée, parfois incompréhensible, souvent archaïque dans sa façon d'appréhender le monde. Oui, le modèle français est sûrement le bon. Mais, si l'on avait tort ?

La réalité de la mondialisation et des impacts négatifs associés sont loin d'être aussi dramatiques. Si notre commerce avec les pays « émergents » est important dans le textile, le vêtement, la chaussure ou les jouets, cet ensemble concerne moins de 10 % de nos échanges. Pour les autres produits, *grosso modo*, le bas niveau des salaires de maints pays en voie de développement est contrebalancé par la faiblesse de leur productivité, malheureusement pour eux.

Dans l'industrie automobile, par exemple, la concurrence qu'affrontent nos constructeurs ne vient-elle pas, d'abord, de l'Allemagne où les salaires sont très supérieurs aux nôtres ? La France exporte des produits de l'industrie aéronautique – aux emplois très qualifiés – mais aussi de l'agroalimentaire – aux emplois, en moyenne, peu qualifiés. Elle importe du textile en provenance de pays à bas salaires mais aussi des équipements et des services de haute technologie en provenance d'Allemagne et des États-Unis. Sans le commerce international, la structure des emplois serait à peu près exactement la même.

75 % de la production française sont consommés sur place, 18 % exportés vers l'Europe de l'Ouest et 7 % vers les autres pays. Il faut donc relativiser l'impact de la globalisation sur notre économie.

La mondialisation n'a-t-elle pas, en tout état de cause, un aspect éthique ? Nous ne nous indignons pas de voir nos exportations agricoles subventionnées et provenant en majorité d'exploitations prospères mettre à mal des paysans en Afrique et au Moyen Orient. Sommes-nous fondés à protester contre le fait que des pays pauvres cherchent à survivre en exportant leurs productions « grâce » à leurs bas salaires ? En tout cas, dès lors que nos exportations vers l'ensemble des pays en voie de développement excèdent nos importations en provenance de ces pays, la mondialisation n'est pas une bonne explication du chômage et certains se sont tournés vers les immigrés.

La France ne devrait pas avoir peur de la mondialisation. Elle devrait s'en servir. Et plutôt que d'avoir peur des entreprises étrangères, elle devrait les attirer sur son sol.

Dans le monde ouvert d'aujourd'hui, on ne peut plus éviter les concurrents étrangers. Alors, au lieu de les effrayer et de les désinciter à s'implanter en France – quand bien même les produits eux arriveront sur le sol français – on devrait inverser la tendance et donner l'image d'une France compétitive. L'orgueil national renaîtrait un peu pour n'avoir que des effets bénéfiques sur notre capacité à garder notre ou nos identités culturelles. Et quand on sait combien la confiance des consommateurs et leur moral sont importants pour l'activité économique, un peu d'optimisme ne ferait pas de mal. Pas besoin de réformes, juste d'un peu de clarification.

Et comme toujours, une France riche est une France qui a les moyens de ses ambitions.

## Les 35 heures : une leçon d'économie ?

Quelle différence y a-t-il entre la « réduction du temps de travail » et les « 35 heures » ? Aucune, me direz-vous. Pourtant le premier projet a une connotation scientifique alors que le second ressemble plus à un concept politique.

La réduction du temps de travail ne fait pas peur. C'est même synonyme de progrès social pour beaucoup de personnes. La réduction du temps de travail est une politique économique qui a été utilisée à de nombreuses reprises. Et pas seulement par des gouvernements de gauche. La loi du 23 avril 1919, qui limitait la durée quotidienne du travail à 8 heures et la durée hebdomadaire à 48 heures avait été votée, suivant en cela un accord international, par un gouvernement et une majorité de droite.

Pourquoi cette politique économique sied aussi bien à la Gauche qu'à la Droite ? Parce qu'il s'agit d'une politique de redistribution. Ça c'est de gauche. Mais c'est une redistribution égalitaire – à défaut d'être équitable – c'est-à-dire qui est la même pour tous. C'est le principe républicain cher à la Droite associé au principe démocratique cher à la Gauche.

Réduire le temps de travail peut être justifié dans au moins trois cas de figure. La première : lorsque l'économie se porte bien. C'est-à-dire lorsque le pays est très compétitif par rapport aux autres et qu'il peut se permettre de ralentir son avance et de redistribuer un peu plus les fruits de cette avance. Dans cette situation, ce n'est pas la réduction du taux de chômage qui est visée, mais le confort des Français. C'est peut-être la vraie définition du progrès social. C'est dans un contexte de croissance que la discussion a repris à la fin des années 60, c'est-à-dire lorsque les gains de productivité et le contexte de croissance élevé ont permis la satisfaction à la fois des aspirations des salariés à une amélioration du pouvoir d'achat et à une demande de plus de temps libre. Elle s'est alors effectuée dans une optique de répartition des fruits de la croissance que permettait le niveau élevé de celle-ci. À la suite des événements de mai 68, les accords de Grenelle qui en découlent prévoiront la réduction progressive des horaires de travail en vue d'aboutir à la semaine des 40 heures.

Une deuxième situation peut se produire : la France se porte bien, mais le chômage est un problème latent en raison de ce fameux phénomène d'hystérésis. Il s'agissait des conditions initiales du projet des 35 heures. L'objectif visé est avant tout la réduction de ce chômage « résistant » à la croissance.

La troisième situation correspond évidemment à une économie en récession. Ce cas de figure correspond à celui des lois de 1936. Depuis 1929, la production industrielle de la France est dans une phase de récession, de fait le chômage ne cesse d'augmenter. L'année 1934 voit l'apparition de grands conflits sociaux, mettant la réduction du temps de travail au centre des revendications. Devant cette situation, le gouvernement Blum, formé le 4 Juin, signe les accords de Matignon débouchant sur les deux lois de l'été 36 (celle sur les deux semaines de congés payés et celle sur la réduction du temps de travail hebdomadaire).

Une deuxième illustration est celle de la politique de 1982. La forte croissance qui caractérisait les années d'après-guerre commence à se dégrader dès 1973. La production chute en 1975, et la croissance est irrégulière. Ces données conduisent à une chute des investissements. Il faudra attendre l'ordonnance du 17 janvier 1982 pour remettre la réduction du temps de travail à l'ordre du jour. Dès l'installation du gouvernement d'union de la Gauche au pouvoir en 1981, la question de la réduction du temps de travail comme solution au chômage par l'intermédiaire d'une politique de partage du travail refait un retour en force.

Les négociations qui ont lieu entre le gouvernement, les syndicats et le patronat sont longues, difficiles et peu d'accords sont conclus. Le gouvernement décide d'agir avec force et d'imposer par la législation ses propres décisions. L'ordonnance du 17 janvier 1982 rend obligatoire entre autres : la cinquième semaine de congés payés, la non-récupération des jours fériés, et l'horaire hebdomadaire de 39 heures. La législation s'est donc substituée aux accords contractuels et c'est d'une certaine façon sous la contrainte que tous les accords sur la réduction des horaires sont conclus. De plus, sous la pression de la CGT, profitant de la présence des communistes au gouvernement, le Président de la République accorda une compensation salariale intégrale pour l'ensemble des salariés ainsi que la retraite à 60 ans, et non plus à 65. Cette ordonnance n'a donc pas permis d'aboutir à des négociations adaptées aux besoins propres des branches. Les répercussions de l'ordonnance ont été importantes et rapides, essentiellement au premier trimestre 1982.

À partir du milieu des années 90, l'idée du partage de la durée du travail allait faire de nouveau son apparition et devenir l'une des mesures les plus importantes en matière de politique d'emploi. Différents projets voient le jour. Ils sont plus politiques qu'économiques. La scientificité des propositions reste souvent à démontrer. On voit apparaître le projet Rocard, alors dans l'opposition. À droite, la loi de Robien autorise une réduction du travail négocié et au cas par cas. En d'autres termes et en usant d'un anachronisme : une politique de gauche respectant les principes de droite. Des projets fleurissent qui relèvent bien souvent plus de l'arithmétique que de l'analyse économique : la semaine des quatre jours. Les Cassandre parleront alors de la semaine des quatre jeudis.

Le point commun entre ces différentes propositions est l'absence de prise en compte de la dynamique dans l'analyse économique. Martine Aubry elle-même, alors ministre du travail, déclarait en 1992 à propos de la réduction du temps de travail que « cette mesure était dangereuse pour l'économie, néfaste pour l'emploi, inadaptée aux besoins des entreprises et que cette fausse bonne solution devait être écartée une fois pour toutes du débat social. »

Le projet de réduction du temps de travail de 1997, appelé les « 35 heures », a été un élément important de la victoire de la Gauche aux élections législatives. Ironie de la politique, Martine Aubry se retrouve aux commandes du projet gouvernemental. Mais nos gouvernants devraient tirer les leçons de certains de leurs prédécesseurs. Selon Abraham Lincoln : « Aucun homme n'a assez de mémoire pour réussir dans le mensonge. »

Pour quelles raisons ce projet est-il devenu intéressant pour la Gauche ? Le chômage était persistant malgré la croissance économique. Il fallait trouver une réponse rapide pour redonner confiance aux Français essoufflés par tant de promesses.

La logique est claire et les mots sont importants : si l'économie n'est pas capable de créer plus d'emplois qu'elle n'en perd, il faut partager le travail existant si l'on veut faire baisser le chômage.

La version moderne des 35 heures s'est construite au départ autour de l'idée du partage. Partager, cela veut bien dire renoncer à une part du gâteau. L'idée du partage a bien failli coûter les élections à la Gauche en ce mois de juin 1997. De la dialectique sociale des « 35 heures », on est passé à un projet de « réduction du temps de travail » sans perte de salaire. On partage sans donner. Quelqu'un d'autre paiera. Mais qui ? Si la mesure est généralisée à l'ensemble de la population, c'est forcément l'ensemble

de la population qui paie. Mais personne ne peut s'en apercevoir. C'est ce que l'on ne voit pas.

On a aussi préféré parler de « réduction du temps de
travail sans perte de salaire », plutôt que de « 35 heures
payées 39. » En effet, dans le second cas, il ne fait pas de
doutes que ce sont les employeurs qui paient la différence…
comme en 1982. Dans le cas de la « réduction du temps
de travail sans perte de salaire », on ne pose pas la question de savoir qui paie. En tout cas, les patrons ne sont pas
complètement visés. Et s'ils s'interrogent, l'État répond
qu'il prendra en charge l'écart entre les 39 heures et les
35 heures. Ce sera financé sur les économies réalisées par
la diminution du chômage – économies directes de l'Unedic
et économies indirectes faites par la diminution des aides
versées. Et l'État n'aura besoin de financer ce programme
que pendant une période de transition de 5 ans. Une fois
que le chômage ne résistera plus à la baisse, les créations
nettes d'emploi suivront le rythme de la croissance et de
l'amélioration de la santé de l'État. La loi d'Okun fonc-
tionnera.

C'est donc un partage, mais sans renoncement. C'est

donner une part du gâteau, sans en perdre une miette. Les hommes et femmes politiques sont habitués à ce genre de dialectique. « Responsable, mais pas coupable. »

Toutefois, un effet endogène va se produire : les nouveaux salariés vont aider à faire grossir ce gâteau. C'est la clé : j'accepte de partager le gâteau, pendant quelque temps l'État me compense la perte, puis les nouveaux vont aider à faire grossir le gâteau et ma part restera la même que celle initiale sans que l'État ait encore besoin d'intervenir. Belle logique. De là à conclure que les chômeurs nuisaient à la croissance, il n'y a qu'un pas.

Qui gagne avec les 35 heures et qui perd ? Selon les candidats de gauche en juin 1997, les plus démunis gagnent et personne ne perd, en tout cas on n'en parle pas. C'est ce que les économistes appellent un jeu à somme positive.

Une première interrogation est de savoir pourquoi personne n'y avait pensé auparavant ? Dommage, le problème du chômage aurait pu être réglé plus tôt. Évidemment, mieux vaut tard que jamais. Il faut toutefois en tirer la leçon : si jamais à l'avenir, le chômage restait élevé alors que l'économie est en croissance, on pourrait utiliser la même recette et passer à 31 heures de travail hebdomadaire. En effet, pourquoi cette recette ne serait-elle plus valable ? Qu'est-ce qui fait que 1997 était une période propice à cette réforme et que les prochaines ne le seraient pas ? Si le programme des 35 heures fonctionne, alors il faut en respecter la logique et croire en son intemporalité.

Poussons un peu l'argument. C'est d'ailleurs un bon test pour vérifier la validité d'un argument. Travailler 35 heures par semaine au lieu de 39 heures crée un besoin pour l'entreprise de 4 heures de travail. Toutes les 9 personnes, il est maintenant possible de libérer 36 heures. En gros, pour chaque groupe de 9 personnes, il est possible d'embaucher un nouvel employé. En juin 1997, une réduction de l'ordre de 1 million de chômeurs était estimée. Personne n'a osé contredire cet argument. Les journalistes comme les intellectuels ont eu beaucoup de difficultés à comprendre les enjeux réels. Une façon simple voire déconcertante aurait été de demander aux candidats ministres pourquoi laisser encore 2 millions de personne au chômage ? Si une réduction de 4 heures conduit à une diminution de 1 million de chômeurs, alors pourquoi ne pas proposer une réduction encore plus importante ? Les 2 millions restants sont-ils moins importants que le premier million ? Ou cette loi ne fonctionne-t-elle que pour 1 million ?

Vous l'aurez compris, ce contre-argument n'a rien de scientifique, c'est juste un peu de rhétorique opposée à celle du programme des 35 heures. Entrons maintenant un peu dans l'argumentaire *a priori* scientifique qui était utilisé à l'époque.

# Réduire la pénibilité du travail :
# un effet secondaire des 35 heures

Quand on pense au travail à la chaîne, aux travaux physiques pénibles, aux métiers à haute responsabilité comme les médecins et les sauveteurs de différents corps, on ne peut qu'être en faveur de la réduction du temps de travail. On l'est encore plus si cela permet en plus de réduire le chômage.

Pour autant réduit-on le travail pénible en France ? Non. Mais la question n'était pas là. Les heures libérées devront être comblées et elles le seront – si la règle des 35 heures fonctionne – par d'anciens chômeurs qui maintenant auront un travail. Certes, ce travail est pénible, mais il l'est moins longtemps et c'est toujours mieux que le chômage. Évidemment. La pénibilité du travail par personne a donc baissé en France grâce aux 35 heures. C'est certain.

Et le nombre total des heures pénibles ne doit pas baisser si les heures sont vraiment comblées. C'est ce que le gouvernement de gauche souhaitait sans aucun doute. Autrement, cela voudrait dire que les 35 heures ne servent pas à partager le travail. Aucune controverse possible sur cette question.

Mais est-ce que l'économie fonctionne réellement de cette façon ? Vous l'aurez compris : pas vraiment.

Revenons sur quelques règles économiques de base. Pourquoi et comment un patron embauche ? Eh oui, un patron – n'en déplaise aux partisans de la lutte des classes – est celui qui embauche les salariés. C'est sémantique et tellement vrai !

Un patron embauche un salarié à condition que le coût du travail engendré par le salarié – c'est-à-dire son salaire augmenté des différentes cotisations, de l'électricité supplémentaire consommée par son travail, de l'eau, du local, etc. – soit contrebalancé par les gains que ce nouvel employé procure à son patron. Eh oui, c'est encore le patron qui gagne.

Quoique... Premièrement, toute embauche est un projet risqué : l'augmentation de l'activité de l'entreprise – raison à l'origine de l'embauche – peut ne pas avoir lieu. Deuxièmement, le gain réalisé par le patron sur le « dos » de l'employé n'est possible que parce que le « capital humain » de l'employé est bien combiné avec le reste des employés de l'entreprise... et le reste des machines. Enfin, l'employé aussi y gagne : son salaire en est la preuve et aussi le fait qu'il évite de courir tous les risques que le patron, lui, prend dans une économie concurrentielle. Évidemment, si l'économie n'est pas concurrentielle, alors les patrons prennent un peu moins de risque et sont favorisés. Choquant, non ?

Supposons que notre patron décide d'augmenter son activité. Pour cela, il a deux possibilités : il embauche un ou plusieurs salariés ou il achète une machine. Le caractère substituable de ces deux ressources pour les entreprises est trop souvent oublié. Et la substituabilité des machines au travail humain est encore plus vraie et importante dans les industries à travail pénible, par définition représentant des tâches répétitives qu'une machine peut exécuter.

Dans ces industries, on trouve encore des salariés mais de moins en moins. En effet, aux vues du coût du travail en France, à moins d'une impérieuse nécessité, les entreprises délocalisent vers des pays avec un coût du travail inférieur. Toutefois, la présence de salariés dans ces entreprises prouve qu'il est toujours moins coûteux d'avoir un certain nombre d'êtres humains dans l'entreprise plutôt que 100 % de machines.

Arrivent les 35 heures. L'absence de modification du salaire pour une quantité de travail inférieur rend maintenant le coût horaire des machines un peu moins élevé que ce qu'il était avant les 35 heures. En Science économique, on dit que le prix relatif des machines diminue par rapport au travail salarié.

L'effet endogène, en d'autres termes créé par les 35 heures, est que le patron décidant l'augmentation de son activité va maintenant acheter un peu plus de machines et embaucher un peu moins d'employés que ce qu'il prévoyait. Certes, certaines études économiques montreront que l'effet est minime. Le contraire serait en fait étonnant. Les ajustements sont par définition marginaux : ce patron continuera d'embaucher des salariés mais en nombre inférieur à ce qu'il prévoyait. Évidemment, étant donné qu'il s'agit de prévisions, ces chiffres ne sont recensés nul part et sont donc invisibles. Il n'est donc pas possible de voir l'impact négatif des 35 heures sur les prévisions d'embauche dans le secteur du travail pénible.

Le résultat est que les 35 heures en augmentant le « prix relatif » du travail-humain par rapport au travail-machine vont favoriser la modernisation industrielle dans le secteur du travail pénible. Il est évident que les personnes au chômage qui auraient eu un travail sans cette mesure et qui n'en ont pas n'en sauront jamais rien et ne voteront jamais contre cette mesure. Cependant, ils n'auront pas de travail aussi pénible soit-il.

L'effet des 35 heures sur le travail pénible sera donc un peu plus de machines dans ces industries. On parvient avec cette mesure à réduire le nombre d'heures totales de travail pénible en France aux dépends d'un petit pourcentage de chômeurs et de quelques contrats à durée déterminée dans ces secteurs.

C'est un des effets antisociaux de cette mesure initialement définie comme sociale. Poussés dans leur retranchement, est-ce que les défenseurs des 35 heures iront jusqu'à dire que c'est aussi une position politique de préférer avoir des chômeurs que des travailleurs dans des conditions pénibles ?

Il est vrai pourtant que beaucoup de travailleurs dans des conditions pénibles ont gagné avec la réduction du temps de travail… pour l'instant. Mais, c'est sans compter les créations d'emploi qui auraient dû avoir lieu et qui ont été annulées.

Au bilan, les politiques utilisant des chiffres « visibles » diront que c'est mieux pour les travailleurs qui ont gagné en temps libre. En fait, on a précarisé leur emploi en France.

## 35 heures ou 35 heurts ?

Les vrais gagnants des 35 heures sont ceux qui avaient du travail et qui l'ont gardé. Les vrais perdants sont ceux qui auraient dû en avoir un et qui n'en ont pas eu en raison des 35 heures. Les autres chômeurs ne perdent rien sauf qu'il leur devient plus difficile d'entrer sur le marché du travail à des postes de non-cadre.

Les 35 heures auraient dû faciliter les embauches et pourtant la thèse soutenue ici est que cela rend l'accès au marché du travail plus difficile. Il est vrai que ce n'est pas pour tout le monde.

Nous l'avons vu : pour les peu ou pas qualifiés, effectuant des travaux pénibles et donc facilement substituables par des machines, les 35 heures ont un impact négatif. Qu'en est-il des peu qualifiés pas facilement substituables par des machines ?

À vrai dire, leur sort n'est pas tout rose. Certains d'entre eux se voient concurrencés par les cadres. L'agent de maîtrise – non cadre – a un emploi bien répertorié. Son temps de travail est mesurable et mesuré par l'employé lui-même. Le cadre occupant un emploi à responsabilité aura moins tendance à compter ses heures et il est difficile de lui imposer de travailler strictement 35 heures. Par conséquent, un patron sera plus enclin à créer un poste de cadre ou en tout cas lui en donner la couleur. Ainsi, on devrait voir augmenter la part de recrutements de cadres en France par rapport aux non-cadres. Les plus diplômés voient leur poste renforcé. Et les plus qualifiés des peu qualifiés gagnent aux dépends des autres. Gagnent-ils vraiment ? Oui, en termes de « RTT ». Mais certains se plaignent de la pression au travail qui augmente, du nombre d'heures qui ne diminue pas, et des vacances « RTT » qui n'en sont pas vraiment car – effet du mobile oblige – les clients ne supportent pas de savoir que leur vendeur est en RTT et continuent à l'appeler où qu'il soit. Malgré tout, les cadres sont gagnants – certains diront moins perdants – par rapport aux peu qualifiés.

L'effet est marginal. Mais à force de n'avoir que des effets marginaux, ça commence à compter. Et n'est-ce pas toujours les mêmes qui paient la facture ? Oui. Les peu qualifiés et les chômeurs de longue durée vont avoir encore plus de difficultés à intégrer le marché du travail qu'auparavant si rien ne change... Et, certaines choses ont changé.

Le gouvernement a laissé les organisations syndicales et patronales renégocier les conventions collectives et appliquer les 35 heures en « bonne » entente. Dans la majorité des entreprises, il y a eu des embauches – mais pas autant que d'heures perdues – en échange d'un gel des salaires sur les quelques années à venir, très souvent les cinq années à venir.

En d'autres termes, si l'on accepte l'hypothèse d'un taux de croissance de l'économie positif et donc d'un taux de croissance des salaires pour les cinq prochaines années, l'acceptation du gel des salaires par les partenaires sociaux revient à accepter une baisse « relative » des salaires et donc du coût du travail en France.

« Relative » est à opposer à « absolue ». En effet, on aurait dû voir une hausse des salaires et on aura une stagnation, ce qui revient en Science économique à une baisse relative du coût du travail par rapport aux autres prix sur l'ensemble des marchés (machines, etc.).

La Gauche a ainsi réussi là où la Droite ne cessait de faillir : avec les 35 heures, elle est parvenue à une baisse du coût du travail en France pour les cinq prochaines années.

Au-delà de l'ironie politique, ceci amène à la conclusion que les 35 heures auront dans cinq ans des impacts positifs sur l'emploi car les effets pervers auront été corrigés par un ajustement du coût du travail. À condition qu'on ne les réforme pas. Et paradoxalement, si les 35 heures fonctionnent dans cinq ans, ce sera plus en raison d'un abaissement des coûts du travail que du principe de partage de l'emploi. Or, vous l'aurez compris : ce phénomène sera masqué et l'on ne retiendra que le partage du travail comme mesure positive. Encore que...

Un autre aspect des conventions collectives a été renégocié : la façon dont les heures de travail sont comptabilisées. Les pauses ne sont plus comptées dans les heures de travail, les déplacements « personnels » non plus... À la fin, beaucoup d'entreprises avec une représentation syndicale faible, ou nulle pour celles de moins de 50 salariés, ont conclu que leurs salariés faisaient déjà 35 heures avant les 35 heures.

Un dernier aspect des conventions collectives qui a volé en éclats est aussi la rigidité du temps de travail. Les horaires de travail sont plus flexibles maintenant qu'ils ne l'étaient. Ajoutée aux deux précédents effets, cette mesure vient flexibiliser le marché du travail un peu plus et vient par la même occasion corriger encore un peu plus les effets pervers des 35 heures. Encore une fois, les vieilles règles économiques fonctionneront masquées par un pseudo programme économique.

La Droite et le Medef, pourtant pourfendeurs des 35 heures, n'y ont pas tout perdu. Et si l'on fait marche arrière sur les 35 heures comme les différentes tentatives d'abord avortées en septembre 2004 de Jean-Louis Borloo, ministre de l'emploi, du travail et de la cohésion sociale, et Gérard Larcher, son ministre délégué aux relations du travail, puis partiellement réussies en février 2005 avec la proposition de la loi sur la réforme des 35 heures, ils y auront même gagné. Mais quelle énergie gaspillée à régler des adaptations des entreprises françaises à des changements de règles juridiques plutôt qu'à produire et à améliorer la productivité. En économie, le terrain perdu l'est à tout jamais.

Les 35 heures comme la plupart des réformes économiques sont aussi très compliquées à mettre en place. Un exemple : le salaire minimum. Il est d'environ 1.154,27 euros bruts mensuels pour 169 heures travaillées (39 heures hebdomadaires). Le Smic horaire s'établit ainsi à 6,83 euros bruts, et le Smic mensuel 35 heures, c'est-à-dire pour 151,67 heures travaillées, à 1.035,88 euros. Cette revalorisation légale du Smic est calculée à partir de l'évolution des prix à la consommation de mai à mai, à laquelle s'ajoute la moitié de l'augmentation du pouvoir d'achat du salaire horaire de base ouvrier (SHBO), calculé de mars à mars.

Six Smic (un Smic 39 heures, cinq 35 heures) coexistent en 2002, selon la date de passage aux 35 heures des entreprises. Lors de la mise en œuvre des 35 heures, le gouvernement avait promis de réduire la durée du temps de travail sans perte de salaire. Or, en travaillant 35 heures, les salariés payés au Smic touchent un salaire minimum mensuel calculé sur la base d'environ 151 heures au lieu de 169 heures. La seconde loi Aubry du 19 janvier 2000 sur la Réduction du temps de travail, a donc introduit un système de « garantie mensuelle de rémunération » versée aux salariés payés au Smic passés aux 35 heures, destinée à leur permettre de conserver une rémunération équivalente à celle qu'ils percevaient avant leur passage aux 35 heures. Les garanties mensuelles de rémunération des salariés payés au Smic, introduites par la loi sur les 35 heures, sont revalorisées de 1,8 % en 2002, ce qui donne selon la période de mise en œuvre de la Réduction du temps de travail : les entreprises passées aux 35 heures à partir du 1er juillet 2002 appliquent le taux de 1 154,27 euros bruts mensuels ; les entreprises passées aux 35 heures du 1er juillet 2001 au 30 juin 2002 appliquent le taux de 1 147,52 euros bruts mensuels ; les entreprises passées aux 35 heures du 1er juillet 2000 au 30 juin 2001 appliquent le taux de 1 133,49 euros bruts mensuels ; les entreprises passées aux 35 heures du 1er juillet 1999 au 30 juin 2000 appliquent le taux de 1 114,35 euros bruts mensuels et celles passées aux 35 heures du 15 juin 1998 au 30 juin 1999 appliquent le taux de 1 100,67 euros bruts mensuels.

Ce système de garantie mensuelle est indexé sur l'indice des prix et sur une augmentation égale à la moitié des gains de pouvoir d'achat du salaire mensuel de base (SMB), alors que le Smic horaire augmente en fonction de l'indice des prix et de la moitié du gain de pouvoir d'achat du salaire horaire de base ouvrier (SHBO). Or, le salaire horaire de base augmente plus vite que le SMB. La loi ne prévoit pas que la garantie mensuelle puisse bénéficier des « coups de pouce » accordés éventuellement au Smic horaire. En conséquence, lors de la revalorisation annuelle du Smic horaire et de la garantie mensuelle, un écart de plus en plus important se creuse selon la date du passage aux 35 heures. Sans fournir de calendrier, le ministère du Travail a confirmé « l'engagement du gouvernement de provoquer une convergence rapide des Smic, à partir d'un schéma qu'il proposera aux partenaires sociaux lors d'une Commission nationale de la négociation collective dès septembre 2002 ». « La mise en œuvre de ce plan sera engagée dès que possible, au plus tard à partir de 2003 » et « supposera un effort partagé pendant plusieurs années. »

La complexité n'est pas seulement technique, elle est aussi et surtout économique. Devant une telle complication de la gestion de la production en France, il ne fait pas l'ombre d'un doute que les entreprises françaises ont payé un lourd tribu afin de s'adapter à cette nouvelle structure économique. Et ces ajustements ne sont pas terminés : ils dureront tout le long de la convergence. Si au niveau d'une entreprise, les adaptations ne sont que marginales, au niveau d'un pays, cela change drastiquement la structure de l'économie elle-même. À cela s'ajoutent les nouvelles barrières juridiques créées à l'encontre des entreprises étrangères qui désireraient s'installer en France. Elles y réfléchiront à deux fois et préféreront parfois s'installer dans un pays limitrophe. Évidemment, il n'existe aucune statistique nationale qui calcule la différence entre les entreprises qui voulaient s'installer et qui ne le feront pas. Encore une fois, personne ne pourra démontrer à l'appui des chiffres les effets pervers cachés des 35 heures sur l'économie nationale.

Bien plus qu'un simple problème de comptabilité nationale, il s'agit d'un problème social. Les pays étrangers bénéficient d'un effet positif externe à leur économie. Le Prix Nobel de Science économique Ronald Coase a défini cette mécanique comme étant une « externalité positive ». La France quant à elle fait face à une « externalité négative » en raison de l'effet négatif indirect créé par les 35 heures. Le problème est que tout le monde ne la subit pas de la même façon. Qui en souffre ? Pas notre élite qui est une main-d'œuvre flexible et qui peut voyager et aller s'installer à l'étranger pendant quelques années voire plus. Les premiers touchés sont en fait les plus démunis qui représentent une main-d'œuvre peu mobile.

Ajoutée à cette complexité se trouve une situation paradoxale pour un gouvernement de gauche : les différences de Smic vont ressembler dans quelques années à une politique de baisse relative du Smic des 35 heures par rapport au Smic des 39 heures, c'est-à-dire ne tenant plus compte des augmentations du coût de la vie. La Droite applaudit, mais il lui faudra gérer.

# Mais pourquoi les 35 heures ?

L'écrivain Jean Giono écrivait dans *Précisions* : « Quand on est chef de gouvernement, on ne peut pas dire la vérité ; on ne la dit jamais. Gouverner, c'est mentir. » Un peu d'histoire. En janvier 1997, Jacques Chirac, président de la République, et son premier ministre, Alain Juppé, discutent en secret d'une dissolution de l'Assemblée nationale. Elu en 1995, Jacques Chirac n'avait pas suivi la pratique qui consistait à ce qu'un Président nouvellement élu dissolvait l'Assemblée nationale. Echaudé par les précédentes cohabitations et étant donné qu'elle lui était acquise, le

Président Chirac décidait de ne pas prendre le risque de dissoudre l'Assemblée dernièrement renouvelée en 1993. Sa première cohabitation ainsi que celle d'Édouard Balladur l'avait marqué.

Un peu avant mai 1997, le ministère de l'Intérieur informe le président que le moment est propice à une dissolution. Le vote des Français avant les vacances serait en faveur de la Droite. Pour augmenter les chances, les élections sont prévues dans le minimum de temps légal : la campagne ne durera pas plus d'un mois.

La Gauche, pas encore plurielle mais surprise, se réunit. Les mentors du parti socialiste, des Verts, du parti communiste, etc. sont présents et font le sombre constat : en un mois, sans programme politique, et vue la cote de popularité du président, l'Assemblée est encore perdue pour les 5 prochaines années. Qu'à cela ne tienne, il faut quand même préparer les Français à la prochaine élection présidentielle et ces élections législatives peuvent servir d'expérience pour de nouveaux concepts de politique économique.

La Gauche réunie et aussi bien formée que la Droite

aux leçons du marketing électoral se posent les bonnes questions. La première est de savoir quel est son électorat fidèle ? La seconde est de déterminer ce que les économistes appellent l'électeur médian, c'est-à-dire l'indécis qui fera pencher la balance dans un camp ou dans l'autre.

Il faut trouver des mesures qui renforcent cet électorat fidèle dans ses convictions et qui persuadent les indécis de voter pour la Gauche. Les indécis sont les blasés de la politique. Ceux qui ne croient plus aux petites mesures. La cible de la Gauche est plutôt jeune, en difficulté ou au chômage, et aussi les fonctionnaires.

Pour les jeunes, il faut trouver une mesure : le concept des emplois-jeunes est énoncé. Mais combien ? 500 000 ? C'est trop. 200 000 ? C'est trop peu. 350 000 ! Le chiffre est lancé. Et comment ? Pendant 5 ans, ils auront des contrats dans le secteur public mais pas seulement et cela leur permettra de gagner de l'expérience professionnelle. C'est indéniable. Leur capital humain augmente. Au bout de 5 ans ? On courait le risque de voir 300 000 personnes dans les rues pour réclamer leur titularisation dans des postes qu'ils sont par définition les seuls à connaître parfaitement. Et il est inutile de publier ces postes aux différents concours de la fonction publique pour trouver des gens qu'il faudra former, etc. C'est encore plus indéniable ! Quand on propose ce genre de mesures sans une sérieuse réflexion préalable et quelques études scientifiques, on frise l'irresponsabilité politique. Le coût : 35 milliards par année financés par l'État.

Il faut aussi faire quelque chose pour les chômeurs. On avait vu poindre un candidat vantant les mérites de la semaine des quatre jours, on avait aussi la loi de Robien, et on avait aussi Michel Rocard qui avait écrit sur le sujet de la semaine de 32 heures. 32, c'est trop, coupons la poire en deux : 35. Ainsi, toutes les 9 personnes, on libère 36 heures, en comptant une marge d'erreur de 1 heure, cela fait un poste créé en moyenne. On réduirait le nombre de chômeurs de 1 million dans les perspectives les plus optimistes. Dominique Strauss-Kahn est pressenti pour le poste de ministre de l'économie. Et il n'a pas de mal à défendre ce chiffre pour deux raisons. La première est que la victoire de la Gauche est improbable. Dès lors, cette campagne doit servir à roder de nouveaux concepts. Lâchons-nous.

La deuxième raison est qu'il ne gèrerait pas le projet qui irait dans le portefeuille potentiel de Martine Aubry pressentie comme étant la mieux qualifiée pour occuper une fonction qu'elle connaît bien : ministre du travail.

La relation entre les deux personnalités est tendue. Dominique Strauss-Kahn, pas encore rattrapé par les affaires, ne verrait pas d'un mauvais œil un échec de celle qui pourrait devenir en cas de réussite du projet un sérieux candidat pour être cinq ans plus tard la première femme présidente de la République française ; coupant par la même occasion l'herbe sous le pied de Dominique Strauss-Kahn. Mais Martine Aubry n'est pas emballée. Ce n'est pas grave : la Gauche, maintenant plurielle et unie derrière ce programme politique, va perdre.

À l'époque, quand les télécopies partent dans toutes les délégations des différents partis de la Gauche plurielle, on ne parle pas de 35 heures payées 39. On reste flou sur le sujet. On veut vraiment partager le travail. Un salarié accepte de perdre 4 heures pour donner du travail à un chômeur. C'est ça la solidarité.

Seulement, les Français ne sont pas prêts à courir le

risque et demandent des précisions. Après deux semaines de campagne qualifiée perdante par les instituts de sondage, les 35 heures deviennent 35 heures sans perte de pouvoir d'achat : le salaire ne baissera pas. Qui paiera ? Est-ce 35 heures payées 39 heures par les patrons ou est-ce 35 heures payées 39 et compensées par l'État ? Ce sera ce dernier choix qui sera fait. Même si quelques mois plus tard, au moment de l'introduction des 35 heures, les choses vont se compliquer.

Pendant les deux dernières semaines, les sondages s'inversent et la Droite est incapable de répondre aux arguments rhétoriques de la Gauche. La France accepte de courir le risque. Personne n'a l'impression de payer pour les 35 heures maintenant, alors qu'en fait, par l'intermédiaire de l'État, c'est tout le monde qui renonce à « 4 heures ». En réalité, moins de 4 heures. Donc, ceux qui travaillent mais aussi ceux qui ne travaillent pas, chômeurs, retraités, stagiaires paient. Ça se défend. Tout le monde doit certainement profiter des bienfaits d'une France au travail.

# L'ATT pour sauver la France :
## une politique économique dorénavant incompréhensible

Est-ce que l'augmentation du temps de travail (ATT) diminuerait le chômage ? Farfelu ? Cette question est pourtant parfaitement réaliste. L'artisan boulanger-patissier travaille en moyenne 68 heures par semaine, l'agriculteur en est à 57 heures, le médecin généraliste à 54 heures, l'avocat et le pharmacien en sont à 52 heures et même le cadre des impôts en est à 42 heures hebdomadaires.

Après la mise en place des 35 heures, selon un sondage

Louis Harris d'avril 2002, 49 % des Français voulaient travailler plus. Un exemple : dans une usine agroalimentaire de la Marne, plusieurs ouvriers qualifiés qui touchaient 1 500 à 1 800 euros brut par mois ont perdu 450 euros. L'épouse doit parfois se mettre à chercher du travail. Certains ont même avoué qu'ils allaient se mettre à travailler au noir…

Pourtant, jamais cette question ne s'est posée en France. Imaginez les unes des journaux dans le monde : les Français ne veulent plus travailler ! Or, est-ce réellement la question ? Loin de là. La mesure était même impopulaire en France.

Mais jamais il n'est venu à l'esprit des Français qu'on allait les forcer à travailler moins. Oui, beaucoup préfèrent travailler moins sans perte de pouvoir d'achat. Mais, il doit aussi y en avoir qui aiment travailler plus ou qui ont besoin financièrement de travailler plus. J'en veux pour preuve tous ceux qui « rendent des services » les week-ends à leurs amis.

Mais cette idée qu'il y ait des gens qui veulent ou qui sont obligés de travailler plus ne vient pas à l'esprit de nos politiques. L'avancée sociale, c'est de travailler moins. Oui, mais quand on a une famille et que l'on ne gagne pas trop d'argent, il n'est pas facile de travailler moins. On préférerait même travailler plus pour arrondir pendant quelque temps les fins de mois. Sans tomber dans les extrêmes bien sûr.

Seulement, on valorise implicitement le « travail moins » par rapport au « travail plus. » Cette idée de travailler plus semble choquante ? Si c'est le cas, c'est que les politiques ont réussi ce qu'ils voulaient : c'est devenu politiquement incorrect de vouloir travailler plus. Et cela vient d'hommes politiques qui n'hésitent pas eux à cumuler. Encore un paradoxe.

Pourtant les Français les moins bien lotis travaillaient déjà plus de 39 heures. Cette économie parallèle finit par représenter un pourcentage non négligeable dans le PIB, bien que par définition non mesurable. Et si l'on n'y prend pas garde, la réduction du temps de travail légal entraînera une augmentation encore plus importante du « travail au noir. »

Auparavant, les salariés étaient contraints à ne pas dépasser 39 heures. S'ils le désiraient, ils pouvaient et peuvent toujours travailler moins en utilisant les contrats à temps partiel, mais en aucun cas, ils ne peuvent dépasser cette durée légale, sauf à être payés en heures supplémentaires. Pourtant, certains d'entre eux utilisent leur temps libre pour arrondir les fins de mois. Certains veulent travailler plus... ou doivent travailler plus. Des métiers sont plus propices à ces activités illégales. Qui n'a jamais utilisé les services d'un « vieil ami » pour effectuer des travaux de plomberie ou de mécanique automobile ?

Un célèbre modèle en Science économique développé par Gary Becker, prix Nobel d'économie en 1992, vient nous apprendre que les individus choisissent les quantités de travail et de loisirs en fonction du niveau de consommation et donc de revenus qu'ils désirent. C'est le modèle connu sous le nom d'« arbitrage travail-loisirs. » En présence d'une durée de travail légale, ce modèle nous enseigne que les individus qui en ont la possibilité vont quand même chercher à atteindre le niveau de revenus qu'ils désiraient préalablement en offrant leurs services sur un marché forcément parallèle.

Connoté négativement d'un point de vue social – et pour cause –, le travail « au noir » n'en est pas moins créateur de richesse. Sa caractéristique par rapport au travail légal – et son inconvénient pour le gouvernement – est qu'il ne produit pas de recettes fiscales. Il s'agit, en quelque sorte, d'une « zone franche » cette fois temporelle plutôt que géographique : pendant un certain nombre d'heures, certains salariés travaillent, donc créent de la richesse, sans pour autant que celle-ci soit fiscalisée.

En réduisant la durée d'activité légale, les « 35 heures » vont libérer du temps que les salariés utiliseront pour les loisirs… mais aussi, conformément à notre modèle, pour le travail. Les individus qui le souhaiteront auront donc davantage de temps pour améliorer leurs revenus. S'ils sont une rigidité supplémentaire pour les entreprises, les 35 heures donnent un peu plus de flexibilité pour les acteurs de l'économie parallèle. Nul doute dans ces conditions que la quantité de travail qui s'effectuait dans l'illégalité avec les 39 heures augmentera avec les 35 heures. Même s'il n'y a pas de perte de salaire nominal, les individus qui le font déjà aujourd'hui utiliseront une partie de leur temps libre pour améliorer un peu plus leurs conditions de vie plutôt que pour les loisirs. Il va sans dire que les acteurs de l'économie parallèle sont souvent dans des situations économiques difficiles et que les loisirs passent après le remboursement de leurs emprunts. Mais, conclure que les 35 heures sont un projet à vocation sociale en permettant une zone franche temporelle supplémentaire pour les bas revenus est un argument que le gouvernement ne peut récupérer.

Alors, afin d'éviter l'apparition de distorsions importantes sur le marché du travail, le progrès social aurait peut-être été de proposer un temps de travail négocié. Mais un choix contraire a été fait : l'imposition généralisée d'une diminution du temps de travail légal.

# Les paradoxes d'une France en croissance

La plupart des politiques économiques proposées par les différents gouvernements visent à aider la France à retrouver le chemin de la croissance. La règle économique des 35 heures ne faillit pas à la règle.

Elle a été proposée dans un contexte où le chômage ne baissait pas malgré une croissance économique : la croissance du PIB a toujours été positive. C'est le phénomène d'hystérésis. En d'autres mots, on ne peut rien faire sauf à changer la structure de l'économie. C'est-à-dire un ensemble de réformes de fond qu'aucun homme politique aujourd'hui n'est prêt à proposer sauf à aller au suicide électoral.

En pratique, les 35 heures se sont révélées être un prétexte à des réformes du marché du travail. Tout le monde pouvait clairement comprendre le message et même si la règle économique ne marchait pas, ce ne serait pas grave. L'essentiel est que les Français la croient vraie de façon à accepter des réformes plus en profondeur.

En ce sens, les 35 heures représentent un exemple de programme de politique économique. C'est une très grande leçon de Science politique pour les grandes réformes à venir, les retraites et la santé en priorité. Il en faudrait d'autres. L'inconvénient est évidemment la diminution de la compréhension des phénomènes économiques par nos concitoyens qu'une telle politique engendre. En effet, comment faire croire aujourd'hui aux Français que travailler plus en France, c'est aussi créer des emplois ? Impossible. Même la réforme des 35 heures de février 2005 ne remet pas en cause la durée légale, mais en assouplit les contours : l'extentension du recours au compte épargne-temps, la création d'un regain d'heures choisies et la prorogation du régime spécifique pour les entreprises de vingt salariés et plus. Les Français resteront fâchés avec le raisonnement économique. Pour paraphraser le philosophe grec Aristote dans *La Politique* parlant de l'Homme : les Français seront des êtres politiques davantage que des être économiques.

La question pourtant se posera lorsque notre économie sera en forte croissance. Ne désespérons pas. En effet, si la demande augmente, les entreprises contraintes par les 35 heures, feront comme d'habitude et iront puiser dans le réservoir du chômage. Mais tous les chômeurs n'ont pas exactement les qualifications pour tous les postes. Il leur faudra aussi, à défaut de pouvoir faire travailler un peu plus les salariés actuels, faire appel à la main-d'œuvre étrangère.

Et là un premier problème de société se posera : combien de nouveaux immigrants ? Et si les Français n'acceptent pas ? La croissance économique peut en réalité avoir deux effets sur la question de l'immigration.

Le premier effet est un rejet d'une nouvelle politique d'immigration. L'apparente xénophobie des « Français » peut rejaillir. Et avec elle, la confusion des genres : l'insécurité provient de l'immigration.

Un second effet est celui de l'acceptation d'une « immigration » au secours de la France. Ce fut le cas par le passé : les hommes politiques justifiaient l'immigration comme étant de la main-d'œuvre pour une France qui en manquait. Pourtant, une rareté de main-d'œuvre entraîne une augmentation des niveaux de salaire. Tous les salariés et les syndicats qui disposent alors d'une plus grande force devraient se réjouir de cette rareté.

Mais cet argument est d'autant mieux accepté que l'essentiel de notre système repose sur des transferts de la population active vers la population « inactive » : chômeurs, stagiaires, retraités, etc. Nous avons évité au maximum la régulation par le marché pour préférer – parfois à raison et parfois à tort – la régulation par l'État selon d'autres critères que ceux du niveau de revenu... pour simplifier.

Les Français comprennent donc bien qu'en période de croissance économique et dans un pays où le marché du travail est peu flexible, il faut des immigrants pour assurer la pérennité du système.

En l'occurrence, les Français ne font pas passer leur intérêt personnel en premier – des salaires plus élevés – en faveur d'une pérennité du système.

C'est pour cette raison qu'on peut être optimiste sur la capacité d'intégration de la France pour des raisons économiques... ou plutôt pour des raisons de gestion politique. Encore qu'il faille une croissance économique élevée.

Les Français seraient-ils sereins et davantage Français quand ils en ont les moyens ? Une France dynamique aurait les moyens d'intégrer et de rayonner comme elle ne peut le faire aujourd'hui. Les thèmes politiques ont tous une connotation négative : chômage, faillite des différents systèmes... Même le mot « réforme », autrefois positif, est synonyme de situation risquée.

Une France plus riche n'est pas une France qui renonce à ses valeurs. C'est le contraire. Une France qui souffre est une France qui est prête à n'importe quel choix, même le plus extrême, pour s'en sortir. C'est le danger. Si l'on veut que la culture et les valeurs françaises survivent, il ne faut pas se recroqueviller sur soi et accepter les coûts

– voire les coups – mais au contraire faire face et devenir « meilleur. »

Maintenant, sans croissance économique hors du commun, quel est le scénario ? Il ne faut pas compter sur l'immigration. Il faudra revoir l'ensemble du système social français. Beaucoup des rigidités créées pour aboutir à la définition française de l'État providence devront disparaître. Le package social devra être revu : les retraites, la santé, l'éducation et le marché du travail, pour ne citer que ces exemples. En effet, privé du mécanisme d'ajustement par les quantités – condition du modèle français – l'État devra revenir à des ajustements par les prix : en d'autres termes injecter plus de capitalisme et de mécanisme de marché dans le système français. Cela semble compliqué ? Ça l'est encore plus. Par exemple, il faudra revoir le plafond que représentent les 35 heures. Et là, les choses se compliquent. Après des années à expliquer aux Français – même si le concept politique relève du génie – que réduire le temps de travail même sans perte de salaire diminue le chômage, il est difficile de faire marche arrière. En effet, comment expliquer maintenant que travailler

39 heures sans augmentation de salaire améliorera les conditions économiques de la France ? Et même avec une augmentation de salaire, les gens n'achèteront plus ce type d'argument.

En plus, une marche-arrière représenterait de nouveaux coûts d'adaptation pour les entreprises, mais aussi pour l'économie française tout entière qui devrait s'adapter à cette nouvelle réforme, pour ne pas dire nouveau choc économique. Notre économie en subit suffisamment venant des autres pays – on les dit « exogènes » – pour encore s'en créer soi-même – on les dit alors « endogènes. »

C'est apparemment sans espoir.

## Des réformes impossibles et de toute façon non désirables

Les réformes du modèle social semblent impossibles. Mais sont-elles désirables ? Pour s'en convaincre, on peut utiliser à nouveau les 35 heures en tant qu'illustration. Ils représentent en effet aujourd'hui une politique économique qui prend le chemin d'un nouvel « acquis »… comme tous les autres acquis sociaux peuvent l'être. Jean-Pierre Raffarin, Premier ministre, ne voulait pas d'une remise en cause des 35 heures dans la fonction publique en 2004. Jean-Louis Borloo et Gérard Larcher voulaient une réforme des

35 heures puis, devant l'hostilité des partenaires sociaux, plaidaient pour un assouplissement du régime des heures supplémentaires en septembre 2004, mesure votée en février 2005.

La principale critique d'une réforme est qu'il y a un coût à vouloir changer le système tout le temps. Même si les 35 heures sont un projet coûteux à mettre en place et le resteront tant que le taux de salaire réel n'aura pas rattrapé le taux « normal » de 35 heures payées 35, l'économie française ferait face à un nouveau coût d'adaptation à un nouveau taux horaire hebdomadaire. Et ceci est vrai pour l'ensemble des systèmes sociaux. Les réformes sont de véritables chocs structurels sur l'économie française.

Les réformes ne sont pas seulement motivées par des objectifs de bien-être social de la France dans son ensemble, elles sont aussi motivées par des raisons partisanes. En ce qui concerne les 35 heures, l'avantage pour le Medef d'avoir un gouvernement de Droite en poste avec les grandes entreprises qui poussent derrière, est que la réforme est inévitablement à l'avantage des entreprises. Dans le genre « lutte des classes », les 35 heures n'auront alors pas vraiment l'effet escompté. Et le gouvernement est pris au piège. À proposer une réforme des 35 heures pour se faire élire, ils se sont mis tout seul dans l'embarras. Le principal partenaire social en l'occasion est le Medef. Cette organisation patronale n'a plus aucun intérêt à négocier. Il lui faut au contraire maintenant exiger et menacer transférant ainsi sur le gouvernement la responsabilité des blocages éventuels. De toute façon, le Medef et ses grandes entreprises adhérentes n'ont rien à perdre : le système 35 heures est en place. Ils ont au contraire tout à gagner en renégociant.

Cependant, le gouvernement et le Medef partagent parfois les mêmes électeurs. Le Medef finira par gagner. Les grands patrons ne comprendraient pas que le gouvernement ne leur donne pas ce qu'ils exigent à la fois en matière de temps de travail et de flexibilisation des 35 heures. Le résultat n'est pas surprenant. Et il fallait s'y attendre.

Au final, les 35 heures « programme social » ont subi deux altérations : la première sous le gouvernement de gauche et la seconde sous le gouvernement de droite. Cela n'est pas terminé.

Il reste néanmoins un coût à ces changements : les chocs économiques « endogènes. » En effet, aujourd'hui toutes les grandes entreprises sont passées ou presque aux 35 heures. Elles ont utilisé du temps normalement dévoué à la production pour adapter l'organisation à la nouvelle législation et renégocié les accords internes, les conventions collectives, etc. Pendant ce temps, la concurrence qui n'est plus nationale, on le sait, produisait et améliorait sa compétitivité.

Une première remarque est de savoir comment se peut-il qu'une entreprise embauche grâce aux 35 heures quand elle prend du temps sur sa production pour repenser son organisation ? Le contraire ne serait-il pas curieux ?

Ensuite, le résultat à n'en pas douter est une parfaite adaptation des entreprises à ces 35 heures à la suite de leur réorganisation. Cela n'a l'air de rien, mais l'organisation industrielle, en d'autres termes l'organisation de la production et non pas la production elle-même, occupe énormément de ressources dans l'entreprise. Tout un courant de la littérature économique s'y intéresse lancé par Ronald Coase, prix Nobel d'économie en 1991, puis repris par des économistes comme Oliver Williamson et par la « Nouvelle Économie Institutionnelle. » Pourtant, nos décideurs politiques et intellectuels français ont eu l'air de l'ignorer.

Mais maintenant que ces coûts sont absorbés et que les effets des 35 heures vont se dissiper avec à la clé une amélioration dans la voie libérale, pourquoi la Droite s'est-elle acharnée après les élections présidentielles à vouloir revenir à un pseudo 39 heures ? Et est-il intéressant de le faire ?

Pas certain, et pour les mêmes raisons : les coûts d'adaptation. On va à nouveau créer un choc « endogène » et redemander aux entreprises de passer du temps à s'adapter à la nouvelle législation.

Les entreprises n'ont pas que cela à faire. Laissons-les travailler, produire et améliorer leur compétitivité. Pour reprendre un titre connu : pendant ce temps-là, les Japonais travaillent.

François Fillon en charge du dossier épineux qui consistait à « assouplir » les 35 heures sans les réformer – les puristes apprécieront – a institué une période de dix-huit mois pour ramener de 130 à 180 par an (soit 4 par semaine) le nombre des heures supplémentaires autorisées. Les entreprises bénéficient d'une plus grande souplesse sans attendre le résultat des négociations sociales qui, branche par branche, doivent fixer définitivement le quota des heures supplémentaires. Ces dernières donnent lieu à une majoration comprise entre 10 % et 25 %, qui peut être payée en salaire et non plus en repos compensateur comme le stipulait la loi Aubry.

Les 35 heures étaient déjà une façon de flexibiliser le marché du travail sous l'emprise de la Gauche. Elles sont devenues une vraie politique libérale : les entreprises peuvent maintenant faire travailler leurs salariés un peu moins en période de vache maigre de deux façons différentes (35 heures ou les mettre en RTT), mais elles peuvent aussi les faire travailler plus en périodes de pointe. Politiquement génial. Économiquement coûteux : un double choc imposé aux entreprises. Mais dans un pays où les leaders ne s'intéressent qu'à l'aspect politique, les considérations économiques n'ont que peu de poids. La population n'améliore ni sa situation ni sa prise de conscience des enjeux.

Le seul effet positif pour les finances publiques mais pas tellement pour l'économie nationale – si l'on considère le travail au noir comme de la production – est justement la réduction de l'incitation à travailler au noir pendant sa RTT. « Ceux qui le souhaitent retrouveront la possibilité de travailler plus pour gagner plus » : telle était la promesse du candidat Jacques Chirac lors de la campagne présidentielle.

Au final, l'inconvénient majeur de tout cet imbroglio est peut-être à nouveau le renforcement de l'incompréhension des mécanismes économiques de la part des Français. En tout cas, un coût plus pernicieux est celui du ras-le-bol de la politique. Comment mesure-t-on ce coût ? Par le vote des extrêmes…

# L'État providence à la Française

Personne ne le croira. Le concept d'État providence est apparu, dans les faits, aux États-Unis. Roosevelt pour faire face à la crise des années 30 propose la politique de la « Nouvelle donne » (*New Deal*). Il s'agissait d'une réorganisation en profondeur des mécanismes de redistribution de la production américaine. À la française, cela donne le « partage des fruits de la croissance. »

La France n'est pas en reste dans le domaine de la redistribution. Après l'effort de guerre des années 1939-1940, puis l'occupation, puis la libération vient la reconstruction. Les différents gouvernements de la IV<sup>e</sup> République vont reconstruire l'économie en choisissant des politiques « interventionnistes », c'est-à-dire en impliquant grandement l'État.

L'État français prend une nouvelle dimension avec la constitution du 4 octobre 1958 et la prestance impériale du Général de Gaulle. La France regagne ses galons au plan international et avec eux l'idée que l'État français est fort et peut se permettre quelques programmes de redistribution de la richesse créée en France. Les prestations sociales (santé, vieillesse et survie, maternité et famille et emploi) passent de 14,5 % du PIB français de 1959 à 28,6 % en 1994.

Pour près de 70 % de la population totale — ouvriers, employés, et inactifs — les prestations sociales sont aujourd'hui supérieures aux rémunérations du travail ou du capital. De 1970 à 1995, la population couverte par les « minima sociaux » est passée de 3 à plus de 5 millions de personnes.

Quelle est la mécanique de redistribution française ? C'est d'abord la retraite. La France a édifié de puissants régimes de retraite qui, couvrant une très large part de la population, fonctionnent, pour l'essentiel, par répartition. À la différence de la plupart des autres pays, la France a, non seulement, un régime « de base » obligatoire mais un « deuxième étage », constitué par des régimes complémentaires – Agirc pour les cadres, Arrco pour les non-cadres – eux aussi obligatoires en vertu de la loi du 29 décembre 1972 et qui prélèvent des cotisations élevées. La répartition colle admirablement avec notre éducation politique : organisation d'État, cotisations obligatoires, le tout affermé aux syndicats, y compris patronaux. On ne trouve pas beaucoup de plaidoyer du CNPF - Medef en faveur des fonds de pension avant 1990. Les régimes de retraite sont gérés paritairement et ne dépendent pas du budget de l'État.

La redistribution française, c'est aussi la santé représentant 10 % du PIB français. La santé, c'est un système général qui couvre l'ensemble des actifs, quelques régimes professionnels (les houillères, le cas particulier de l'Est de la France, etc.) et depuis le 1er janvier 2000 pour faire face à une inégalité évidente devant la couverture santé : la Couverture médicale universelle (CMU). Tout résidant, stable et régulier, qui n'a pas de droits ouverts auprès d'un régime de sécurité sociale, peut bénéficier de prestations en nature du régime général sur seule justification de sa résidence. Nul doute que l'offre de santé fait partie des meilleures au monde. La qualité doit aussi sûrement être au rendez-vous.

Mais la santé a d'autres caractéristiques que les soins : pourtant gérée par les organismes paritaires – les syndicats – elle n'est pas publique. Elle est gérée par des sociétés de droit privé. La particularité est que ces sociétés ne sont pas concurrentielles. En France, la branche santé emploie 2 millions de personnes, plus que le bâtiment et le génie civil. Salariées du privé, ces personnes ne sont pas fonctionnaires. Ce chiffre de 2 millions est à comparer avec le nombre total de la population active qui est d'environ 26,4 millions de personnes selon les définitions les plus larges, dont 5 millions sont dans la fonction publique, près de 2,8 millions sont au chômage, 600 000 en formation ou contrats de réinsertion.

S'ajoutent aussi l'éducation gratuite publique et laïque avec ses 3 millions de salariés de la fonction publique,

l'assurance chômage, les prestations familiales et les différents systèmes de pension.

Même si toutes ces questions impliquent bien plus de
composantes que seulement le critère pécuniaire, il n'en
reste pas moins que ces systèmes ont un coût. Et que le
caractère public de la redistribution donne parfois l'impression qu'elle est gratuite. Ce qui crée une confusion
dans l'esprit de certains Français ne comprenant pas pourquoi le gouvernement est autant frileux à mettre en place
de nouveaux programmes.

Près d'un Français sur cinq est un retraité et plus de 177
milliards d'euros sont versés chaque année par la collectivité au titre des retraites, soit 44,2 % des dépenses de
protection sociale ou 13 % du produit national. Ce pourcentage dépassera 20 % avant 2020 si les règles actuelles
ne sont pas modifiées.

Le PIB par tête qui, au début des années quatre-vingt-
dix était supérieur au PIB par tête européen, lui est désor-
mais inférieur. La crainte de la Droite est de savoir si notre
État providence est tenable ?

Les générations issues du *baby-boom* atteindront l'âge

de la retraite à partir de 2006. Alors qu'actuellement les flux de nouveaux retraités sont de 600 000 par an, ils s'élèveront à plus de 800 000 à partir de 2006. De plus, l'allongement de la durée de la vie entraîne un allongement de la durée de la retraite. Alors qu'une personne née en 1910 disposait d'une retraite d'une durée moyenne de 10 ans, une personne née en 1940 dispose en moyenne d'une retraite d'une durée de 20 ans. Encore qu'en matière de durée de vie, les inégalités sont grandes entre les ouvriers et les cadres. Le nombre de personnes de plus de 60 ans représente aujourd'hui en France 40 % de la population âgée de 20 à 59 ans, c'est-à-dire 12,1 millions de personnes. Cette proportion atteindra 70 % en 2040 si le taux de fécondité reste à 1,8 enfant par femme. Les retraités perçoivent aujourd'hui en moyenne 1 100 euros par mois.

Des voix s'élevaient également pour dénoncer les différences de traitement entre le secteur public et le secteur privé. Depuis 1983, pour obtenir une retraite à taux plein dans le régime général, le retraité doit avoir 60 ans et justifier de 40 ans de cotisations. C'est l'âge légal de départ à la retraite le plus bas du monde. Les mêmes règles s'appliquent aux artisans et commerçants. Les conditions dans lesquelles se fait le départ en retraite sont différentes dans d'autres régimes. La durée de cotisation était de 37,5 annuités pour les salariés du secteur public qui pouvaient d'ailleurs, lorsqu'ils effectuaient des travaux pénibles, cesser leur activité avant l'âge de 60 ans. Un nouveau record du monde. En matière d'État providence, tout le monde bizarrement n'est pas logé à la même enseigne.

Dans le domaine de la santé, la France consacre 10 % de son PIB à la santé ; 25 % de plus que la moyenne des pays de l'OCDE Depuis 1970 les prestations maladie — 200 euros par mois et par Français, plus de 140 milliards d'euros en 2000 — ont progressé deux fois plus que les salaires ; la santé, qui représentait 6 % du budget des ménages en 1960, en représente plus de 10 % aujourd'hui ; 12 % lorsqu'on inclut les cotisations aux mutuelles complémentaires.

Mais en matière de santé, il faut aussi faire la différence entre l'offre de soins et la gestion de la santé. Trop souvent, la confusion est faite et les débats et les réformes ne se centrent que sur la partie médicale. Plusieurs raisons à cela.

D'abord, les organismes paritaires qui gèrent le système de santé sont aussi les mêmes qui collectent les chiffres et mettent en place les réformes. Il est naturel et plus simple pour eux de demander aux parties externes – médecins, hôpitaux, etc. – de faire des efforts que de faire des efforts eux-mêmes. C'est profondément humain. Pourtant, quand on parle de réforme de la santé, cela devrait aussi et peut-être même davantage porter sur la réforme de la gestion de la santé elle-même.

Pourquoi davantage ? Parce qu'avec le développement économique, toutes les entreprises bénéficient de gains de productivité. Pourquoi pas la Sécu ? Parce que le développement économique s'accompagne à juste titre d'une augmentation des soins de santé : demande de confort supplémentaire, la durée de vie s'allonge aussi en raison de meilleurs soins créant un effet endogène, etc. Il est donc en fait complètement normal que les dépenses de soins augmentent et cela ne devrait pas être remis en cause. En revanche, il est anormal que les frais de gestion et d'organisation du système augmentent. Ainsi quand on parle de santé, il faudrait faire la différence entre la partie soins et la partie gestion. Pourquoi ne la fait-on pas ? Parce que ceux qui devraient la faire n'ont pas envie de couper la branche sur laquelle ils sont assis. Compréhensible.

En matière d'éducation, les choses ne sont pas différentes. L'adage « qui peut le plus, peut le moins » est utile pour faire des comparaisons internationales. Si l'on considère l'ultime échelon de notre système d'éducation – la recherche – on se rend compte que la France est le premier pays au monde pour la part du budget national alloué aux activités de recherche et de développement et le second pays derrière la Suisse pour la recherche fondamentale. Pourtant, la France arrive bonne dernière sur les dix-sept pays recensés par la Commission européenne en matière de taux de croissance du nombre de dépôts de brevets entre 1995 et 2000. On ne peut pas tirer de conclusion scientifique de ces chiffres, mais ils doivent contenir un part de vérité…

Pour financer les dépenses de l'État providence, il y a les cotisations sociales, les impôts et les taxes. Les prélèvements obligatoires représentent à peu près 46 % du PIB en 1999, alors qu'ils étaient à 35,1 % du PIB en 1970. Seuls le Danemark (50,6 %) et la Suède (52,2 %) parmi les pays de l'OCDE ont des taux plus élevés. L'Allemagne est à 37 %, l'Italie 43 %, le Royaume-Uni 36,6 %, le Portugal 34,5 %, l'Irlande 31,9 %, et le premier de la classe est le Japon avec 27,7 %. La moyenne des pays de l'OCDE en 1999 est d'environ 37 %.

Ces prélèvements obligatoires représentent l'ensemble des impôts, cotisations et taxes diverses perçus par l'État. La part de cotisations sociales dans ces prélèvements est maintenant la plus importante (environ 35 %) et a augmenté plus rapidement que les autres composantes. Aujourd'hui, un salarié travaille du 1er janvier au 15 mai pour l'État et ne commence à percevoir son salaire qu'à partir du 15 mai. Sur un PIB total de 1 500 milliards d'euros, les prélèvements obligatoires perçus par l'État représentent 662 milliards d'euros.

Certes, cela semble beaucoup. Mais une bonne partie est redistribuée. Effectivement. Seulement, dans les programmes politiques, on propose de faire des dépenses pour pallier telle ou telle carence du secteur privé. Au mieux, certains économistes ont fait une étude de coût et arrivent à chiffrer la dépense exacte d'un tel programme. Mais, c'est oublier le coût de fonctionnement de l'État, ce que les économistes anglo-saxons appellent les coûts cachés (*shadow costs*).

En France, sur 100 euros prélevés sous forme d'impôts, moins de 40 sont redistribués. Les 60 autres euros sont absorbés par le système : constructions de nouveaux bâtiments, entretiens des anciens, salaires des fonctionnaires, etc. Il faut bien payer les inspecteurs des impôts qui collectent l'argent !

Aux États-Unis, le ratio est inversé. En Allemagne, sur 100 euros, un peu moins de 50 sont redistribués. La France est à la traîne.

La première conclusion est qu'il faudrait prendre en considération cette absorption avant de toujours réclamer que l'État ne s'occupe d'un projet en particulier. Une mesure de politique économique, qui n'a apparemment aucun coût, coûte. Les « biens publics », censés être offerts par l'État lorsque le marché ne le peut pas ou pas de façon équitable, n'ont en fait rien de gratuit. Le diable se cache toujours dans les détails. Cela ne veut pas dire qu'il ne faut pas demander à l'État d'intervenir, mais qu'il faut y regarder à deux fois.

La seconde conclusion est d'ordre politique : les gouvernements se disputent sans cesse sur la question de la baisse des impôts ou non. Pourtant, en prenant en compte l'existence de ces coûts cachés et en creusant un peu dans l'analyse du fonctionnement étatique, on s'aperçoit que l'on peut, sans changer le montant des impôts, augmenter la redistribution. Il faut « tout simplement » s'attaquer à la réforme de l'État et le rendre plus compétitif. C'est ce qui est en train d'être tenté un peu secrètement avec la loi sur la comptabilité de l'État. Le comité interministériel à la réforme de l'État (Cire) du 15 novembre 2001 a défini la poursuite du développement du contrôle de gestion dans les administrations de l'État comme l'un des chantiers amont de la mise en œuvre de la loi organique du 1er août 2001 relative aux lois de finances. Il y a dorénavant un délégué à la réforme budgétaire et une direction de la réforme budgétaire à Bercy en charge de ce chantier connu sous le nom de Moderfie (Modernisation financière de l'État). Les trois enjeux officiels sont « Responsabilité, lisibilité, transparence. »

Avant cela et pour s'en tenir au XX$^e$ siècle, dès 1919, Léon Blum se faisait l'avocat d'une profonde réforme de l'État et, en 1934, celle-ci était à l'ordre du jour des préoccupations du gouvernement et du Parlement (Commission dite « de la hache »). Dans les années 1990, sous l'impulsion de Michel Rocard, l'attention s'est davantage portée sur le fonctionnement interne de l'administration de l'État. Le renouveau du service public a cherché, à partir de 1989, à développer les centres de responsabilité, les projets de service, les démarches qualité selon des méthodes inspirées du secteur privé. Pour coordonner l'action de tous ces acteurs, des structures ont été mises en place par le décret du 13 septembre 1995 modifié le 8 juillet 1998. Mais même la réforme de l'État a un coût : 20 millions d'euros en 2003. Il est aussi intéressant de voir que l'État utilise comme dans le privé, et depuis longtemps, des incitations pécuniaires pour inciter ses différentes branches à se réformer.

La réforme de l'État : voilà un programme pourtant qui

devrait contenter tout le monde ! Sans diminuer la redistribution, sans rien changer à l'État providence et à l'offre de biens publics, et sans diminuer l'efficacité les politiques de demande chères à la Gauche – voire même en dépensant un peu plus – et tout en diminuant les impôts et taxes, il serait possible de redonner un peu d'oxygène à la France. À condition de réformer l'État.

Un peu d'oxygène, cela veut dire de nouvelles recettes fiscales et donc la possibilité pour l'État de dépenser encore plus et de baisser les impôts.

Réformer l'État pour gagner quelques pour cents de productivité. Le budget de l'État français représente environ 300 milliards d'euros par an hors sécurité sociale. Deux pour cents de productivité gagnés, cela représente une redistribution de 42 % et des coûts cachés de 58 %. Mais cela représente surtout 6 milliards d'euros qui peuvent être redistribués directement aux Français les plus démunis bénéficiant des programmes sociaux tout en permettant une légère baisse des prélèvements obligatoires.

Nul doute qu'une telle politique satisferait l'ensemble des Français, sauf peut-être les fonctionnaires. Ils devraient changer leurs habitudes de travail voire parfois changer de définition de poste. Les syndicats de fonctionnaires ne verraient pas cela d'un bon œil. Au final, aucun candidat à une élection ne proposera clairement un projet fondé sur la réforme de l'État. Déplaire à 5 millions de fonctionnaires et voir les syndicats dans la rue est un trop gros risque, même si les Français y compris les fonctionnaires y gagneraient.

Peut-être faut-il être très pédagogue et expliquer aux fonctionnaires qui *a priori* doivent avoir le sens de l'État que la santé de la France repose sur une réforme de ce même État ? Il ne s'agit pas en effet de diminuer son pouvoir, il s'agit au contraire de le renforcer tout en ouvrant par la même occasion des espaces de liberté pour la croissance économique.

Utopique ? Certainement. Aucun homme politique ne s'amusera à risquer sa carrière à expliquer un tel programme. Il faut en effet entrer dans le détail pour que les Français comprennent les enjeux. Dans la société médiatisée d'aujourd'hui, lorsque l'on a 1 minute 30 secondes pendant le journal de 20 heures pour expliquer son programme, nul doute que l'on préfère débattre de la baisse des impôts, plutôt que d'expliquer qu'il y a un autre moyen... si l'on creuse un peu.

Mais à force de ne jamais aborder les problèmes ni les solutions dans le détail, plus personne n'y comprend rien.

Confucius écrivait : « lorsque les mots perdent leur sens, l'Homme perd sa liberté. » Et dans une démocratie, perdre sa liberté passe par le vote, acte pourtant libre sauf s'il n'est pas fait de manière éclairée. Les résultats des élections de mai et juin 2002 devraient nous alarmer...

## Fiscalité et débat public :
## la partie visible de l'iceberg

Contrairement aux idées reçues, l'impôt sur le revenu payé par un Français n'est pas le plus lourd des grands pays développés. Bien au contraire, jusqu'à des revenus élevés (plus de 20 000 euros), l'impôt payé est nettement moins élevé à Paris qu'à Berlin, Bruxelles, Rome, Amsterdam et même Londres ou New York... à condition que l'on soit marié avec deux enfants. La différence est en revanche sensible sur les hauts revenus surtout avec les pays anglo-saxons, qu'il s'agisse des États-Unis ou surtout du Royaume-Uni, où le prélèvement est moins progressif dans le but affiché d'attirer les talents.

La concurrence avec la City est inégale : plafonnées à un niveau relativement faible au Royaume-Uni, les cotisations sociales sont au même titre que l'impôt sur le revenu (pour lequel les non-résidents bénéficient d'un régime dérogatoire) la cause de l'attraction de Londres pour les « golden boys » français : ils y sont à la fois mieux payés et moins imposés qu'à Paris. Cette distorsion renforce le sentiment général de ceux qui restent en France que le système est devenu confiscatoire.

Aux États-Unis, le taux marginal supérieur est de seulement 39,6 % au niveau fédéral (il était de 28 % sous Ronald Reagan) mais doit inclure le poids de la fiscalité directe locale, très variable selon les États, pour être comparé à l'Europe. Selon une étude récente du FMI, il y a ainsi un écart de 12 points entre la Floride par exemple, qui n'a pas d'impôt direct sur les revenus des personnes et sur les successions, et le Massachussetts, l'État qui a le taux marginal le plus élevé. En France, le taux supérieur de l'impôt sur le revenu est de 52,5 %. Le candidat Chirac a promis une réduction pure et simple de 30 % de l'impôt sur le revenu d'ici à 2007.

Isoler le seul impôt sur le revenu ne donne toutefois pas une image fidèle de la réalité des prélèvements supportés par les individus. En France, il faut prendre en compte le poids très souvent plus élevé que partout ailleurs des prélèvements sociaux. La véritable addition est la somme des impôts, des taxes et des prélèvements sociaux. C'est-à-dire l'ensemble des prélèvements obligatoires.

Avec la Contribution sociale généralisée (CSG) instituée par la Loi de finances de 1991, le taux marginal d'imposition dépassait les 60 % en France, soit le plus haut niveau en Europe. Le taux marginal d'imposition effectif supporté en France du fait de l'accumulation des prélèvements sur le travail est donc plus élevé que dans les autres pays. Pourtant, malgré ce record, l'économie française ne se porte pas trop mal. Le taux de croissance du PIB pour 2001 était de 1,8 % alors qu'il n'était que de 0,3 % aux États-Unis. Les choses changent un peu en 2002 où la France a connu 1 % de croissance et les États-Unis 2,3 % de croissance selon les chiffres de l'OCDE.

En fait, la France offre l'inconvénient de cumuler toutes les formes de prélèvements et, à chaque fois, de pratiquer les taux de taxation parmi les plus élevés. C'est vrai pour les cotisations sociales, la TVA, la fiscalité de l'épargne et l'impôt sur le revenu pour les revenus élevés. Cette situation explique pourquoi la France plaide avec tant d'insistance à Bruxelles pour une harmonisation de la fiscalité européenne, avec peu de chances d'être entendue par ses partenaires.

À propos du débat sur la baisse des impôts, pourquoi la Gauche est-elle contre et la Droite en faveur d'une diminution ? En baissant les impôts, il est compris que l'on baisse les dépenses, d'où un impact sur la définition de l'État providence et des programmes sociaux. Il est quand même vrai que baisser les impôts est devenu moins tabou dans les couloirs de la Gauche. On peut maintenant formuler une idée sur la baisse des impôts à condition que la baisse en question touche les moins nantis. Le candidat Jospin en avril 2002 proposait une réduction de la taxe d'habitation. Même les moins favorisés la payent. Il est donc permis de prôner une réduction d'impôt ou de taxe quand cela participe à privilégier les moins nantis et à renforcer l'aspect progressif de l'impôt.

La Droite moderne est en faveur d'une diminution du poids de l'État et d'une coupe dans certaines dépenses inutiles. La Droite conventionnelle et conservatrice est en faveur d'une augmentation du poids de l'État dans ses fonctions régaliennes : justice, défense et police. Même si le résultat est le même que celui de la Gauche dans les dépenses publiques, les programmes sont encore et toujours complètement différents. D'un côté, c'est l'éducation et la souplesse – certains parleront de progressisme –, de l'autre l'application stricte de l'État de droit.

Évidemment, c'est l'affrontement. Que se passerait-il vraiment si l'on baissait les impôts ?

Premièrement, sur le plan interne, les particuliers et les entreprises seraient incités à produire un peu plus. Donc de générer de l'activité. L'ampleur de l'effet désincitatif des impôts donnent lieu à des études contraires. Une chose est sûre : pour mesurer l'effet désincitatif, il faudrait être capable de « voir » la partie « invisible » de l'iceberg, c'est-à-dire voir ce qui se passerait en terme de création d'activité suivant la baisse des impôts. Donc, en l'absence d'une mise en place de cette réforme, les économistes ne pourront jamais vraiment mener une analyse coût/bénéfice fiable, même si l'intuition et les études théoriques de quelques prix Nobel vont dans le sens d'un impact non-marginal. À titre d'illustration, l'application de l'impôt sur la fortune au début des années 80 a fait fuir quelques grosses fortunes. Les journaux et magazines de l'époque ont fait quelques « unes » de nos vedettes qui revendaient leurs villas sur la côte d'azur pour s'expatrier. Doit-on les blâmer ? Chacun agit en fonction de sa situation et de ses intérêts. L'État doit simplement en tenir compte dans ses politiques économiques. Cela s'appelle la liberté. Les donneurs de leçon d'aujourd'hui auraient certainement agi de la sorte dans la même situation.

Ce qui est intéressant avec cet exemple, c'est qu'à cette époque, on a pu mesurer la fuite des capitaux. Aujourd'hui, toute mesure fiscale porte, par définition, sur la partie immobile des capitaux, c'est-à-dire celle qui porte sur une demande vraiment inélastique. Il est donc devenu très difficile de savoir ce qui se passerait ou ce qui se serait passé.

Deuxièmement, au plan international, la France bénéficie d'une très mauvaise réputation – fondée ou pas
d'ailleurs – en matière fiscale. Les entreprises étrangères
qui peuvent éviter de s'implanter en France au profit d'un
autre pays européen – partageant maintenant la même
monnaie... – le font sans hésiter. De plus, des entreprises
françaises qui voient leur activité augmenter ne vont plus
se développer exclusivement en France, elles vont aussi
chercher à utiliser les avantages là où elles peuvent les
trouver et n'hésiteront pas à se servir des avantages de la
transparence rendue possible par l'euro.

Troisièmement, la baisse des impôts ne veut pas néces-
sairement dire baisse des dépenses du même montant. Les
recettes dans le moyen terme ne baisseront pas de la même
façon. En effet, la baisse des impôts en entraînant une
hausse de l'activité permet une augmentation des recettes.
Cette augmentation ne permettra peut-être pas de compenser la baisse initiale des recettes. Cela dépend des conditions économiques initiales et des réponses de l'économie
française à la structure des impôts. Les spécialistes y verront
un raffinement du modèle de Laffer. Mais citer un écono-

miste réputé de droite aux États-Unis fera frémir les économistes de gauche qui argumenteront que pour la France il est très difficile – sauf pour les économistes de droite bizarrement – de prouver l'effet Laffer : une baisse des impôts peut permettre l'augmentation des recettes fiscales. La raison ? L'économie française est très compliquée et rigide. Doit-on s'en vanter ? Non. Pourquoi est-elle rigide et très compliquée ? En raison de la structure même de notre économie qui est modelée par notre histoire et nos nombreuses réglementations.

La complexité du droit fiscal en est devenu un des exemples les plus flagrants. Avec un code général des impôts parmi les plus complexes au monde, la France est en tête des poids lourds fiscaux. Quel que soit le secteur d'activité, personne ne peut échapper à l'impôt dans l'une de ses 130 formes, sauf à travailler dans ce que l'on appelle l'économie parallèle.

La *Real Politik* à la française ne semble pas marcher. Les zones franches, les changements de fiscalité, les allègements, etc. rien n'y fait. Le chômage reste parmi les plus élevés des pays développés. La faute à quoi ? À la structure de l'économie. Avant de baisser les impôts ou plus précisément les prélèvements obligatoires, il faudrait peut-être réformer la structure fiscale française. Il faut simplifier pour attirer les investissements étrangers et ne pas créer de distorsions artificielles.

Un autre argument en faveur de la simplification fiscale est l'équité : aujourd'hui, personne ne peut savoir s'il est avantagé ou désavantagé dans son activité par rapport à son voisin voire même par rapport à son concurrent. L'équité devant l'impôt voudrait que tout le monde d'une même catégorie soit logé à la même enseigne.

Aujourd'hui, on n'est plus capable de savoir si le système est équitable. Et c'est souvent un signe d'iniquité.

Il semble donc que le choix politique est d'avoir une fiscalité élevée sur les hauts revenus. La première raison est éthique et est fondée sur l'idée que la richesse n'est pas acquise mais héritée. Cette idée n'est pas fausse en France, mais est-ce le fruit du système ou est-ce la raison de ce système ? En taxant les très hauts revenus, les plus pauvres peuvent bénéficier de cette richesse à laquelle ils n'auraient de toute façon pas accès. C'est l'ascenseur social, mais dans le sens de la descente. Vous ne pouvez pas aller à la richesse, la richesse viendra à vous.

Une deuxième raison de cette taxation élevée est peut-être de diminuer l'incitation à gagner trop d'argent. Et cette raison pourrait être supportée par certains socialistes ou membres de l'extrême gauche. L'argent est tabou et dangereux. Les gens sont meilleurs quand ils n'ont pas d'incitation à se comporter en purs égoïstes.

Mais quel est le réel impact d'une taxation élevée pour les hauts revenus ?

Au niveau éthique, il n'est pas sûr que les gens seront moins égoïstes. La nature humaine est ce qu'elle est. Un ventre bien nourri n'aurait-il pas plus d'incitation à penser aux autres qu'un ventre affamé ? Ce n'est pas une loi immuable en raison de la nature humaine, mais la perspective se défend.

Au niveau économique, l'utilisation de l'argument selon lequel la taxation élevée désincite l'avarice est dangereux. Il ouvre la porte aux critiques de droite.

Enfin, dans une économie ouverte sans contrôle des capitaux, la taxation élevée a deux effets. Le premier porte sur les revenus du capital : elle pousse la partie mobile des capitaux à se déplacer vers des pays moins exigeants, voire moins regardants. Même si de 1987 à 1997, l'émigration française vers les États-Unis, par exemple, équivalait au tiers de l'émigration allemande et au quart de l'émigration britannique, il n'en reste pas moins qu'elle représentait 15 200 Français diplômés. L'émigration française augmente vers les pays limitrophes de l'Union européenne : Grande-Bretagne, Luxembourg, Irlande, Belgique, etc.

Le second effet porte sur les revenus du travail : elle pousse les hauts potentiels à quitter la France. L'État a financé leurs études et un autre pays en profite. Certes, au niveau de la comptabilité nationale, les écarts de revenu se sont resserrés. Quelques économistes français marqués politiquement à gauche n'hésitent pas à se féliciter et à conclure, par exemple, que la progressivité de l'impôt a réduit les inégalités. La vérité est un peu différente. Les fortunes qui pouvaient se déplacer se sont déplacées. Certes, au niveau de la comptabilité nationale, les revenus se sont resserrés. Mais cet effet n'est pas dû à plus d'équité comme cela semblait être l'objectif, mais juste à un déplacement des richesses en dehors de la zone fiscale française. Sur le plan de la mesure des inégalités, la pensée de Léon Gambetta est éclairante : « Ce qui constitue la vraie démocratie, ce n'est pas de reconnaître des égaux mais d'en faire. »

Vaut-il mieux vivre dans un pays moins riche avec l'illusion que les inégalités sont plus petites ou un pays plus riche ? Le problème des capitaux à l'extérieur de la France est précisément qu'ils ne travaillent pas en France. Les investissements ne sont pas faits en France, mais dans des pays fiscalement plus attrayants. Certes, le système a quelque chose de bizarre dans son fonctionnement, mais à vouloir à la fois changer la nature humaine et en même temps changer le système, on finit par être seul et les autres pays profitent de nos querelles idéologiques internes en récupérant nos capitaux et nos élites. Peut-on lutter contre le système ? Certainement pas. Peut-on s'en servir ? Assurément. Le monde idéal n'existe pas. À trop vouloir le rechercher, on finit par passer à côté de belles opportunités. Une France moins riche est une France qui n'a pas les moyens de ses ambitions. Une France riche est une France gagnante, même si le modèle n'est certainement pas parfait.

# L'immigration au secours du modèle français

Voilà, on sait pourquoi tout va mal. Un immigrant, c'est un emploi perdu pour un Français. En effet, si l'on utilise l'image de l'économie française comme un gâteau qui ne grossit pas, on finit par croire qu'une part mangée par quelqu'un d'autre est une part en moins. C'est la même vision statique des choses qui guide depuis toujours la politique économique française et qui va finir par la mener dans une voie sans issue. En juillet 1974, quelques mois après l'embargo pétrolier décidé par les pays de l'Opep, la France de Valéry Giscard d'Estaing « suspend » l'immigration de travail. Cette décision passe inaperçue mais marque un tournant : après trente années glorieuses pour l'économie, débute une crise dont les victimes vont compter beaucoup de travailleurs étrangers.

Pourtant, les faits sont contraires. La montée du chômage a provoqué un changement de la politique de l'immigration française. Elle est devenue restrictive pour les hommes tout en acceptant la venue des femmes et enfants des travailleurs déjà immigrés. La France, depuis vingt ans, s'est fermée à l'immigration : environ 200 000 travailleurs immigrés s'installaient chaque année en France jusqu'à la crise du pétrole, et ce nombre est tombé à 65 000 en 1995, dernier chiffre connu. La France n'en a pas moins connu un taux de chômage très supérieur à celui des États-Unis restés beaucoup plus ouverts que nous. Avec 15 millions de nouveaux immigrés, les États-Unis ont pourtant connu un taux de chômage parmi le plus bas de leur histoire.

C'est sûrement qu'il y a une autre raison. Et là, une autre théorie arrive aussi dévastatrice que la précédente.

On sait maintenant vraiment pourquoi tout va mal, pourquoi le chômage augmente et pourquoi les systèmes sociaux sont au bord de la faillite. La France récupère « les immigrants paresseux, intéressés par le super système de santé et par les allocations familiales – ils font tous en moyenne dix enfants et comme la polygamie est autorisée par leur religion, cela finit par coûter cher en prestations familiales. Et comble du malheur, ils envoient l'argent qu'ils reçoivent ici dans leur pays d'origine. »

Malheureusement, ce genre de discours n'est pas une fable. La France a vraiment de vieux réflexes mercantilistes. Mais pourquoi ? Parce qu'à force de vivre dans une économie parmi les plus complexes au monde pour des raisons de modèle social, plus personne n'est capable de comprendre comment fonctionne cette horloge. Et toutes les lois économiques sont bonnes, même les plus sulfureuses.

Rien de grave, au contraire diront les défenseurs dogmatiques – ceux que l'on n'ose pas appeler les conservateurs alors qu'ils se considèrent comme des progressistes – car c'est le fondement même de notre modèle social.

Mais trop, c'est trop. Ce modèle social est en train de stigmatiser une catégorie de personnes comme étant les responsables de tous les maux du système. Et fermer les yeux aujourd'hui sous prétexte qu'il faut défendre à tout prix ce modèle, c'est faire le lit du front national et de tous les extrémismes.

Pourtant, malheureusement certains Français ne semblent pas aussi mauvais que cela dans l'utilisation des arguments économiques théoriques. Ils semblent appliquer avec aise un concept cher aux économistes sans trop le savoir : la sélection adverse. Les États-Unis sont réputés offrir très peu d'avantages sociaux contrairement à la réputation de la France. En théorie, un immigrant est supposé mettre en concurrence les deux pays : le bon immigrant qui n'a pas peur de travailler préférera aller tenter sa chance aux États-Unis, alors que l'immigrant frileux ou « paresseux » préférera l'eldorado social que représente la France. Rhétorique ? Malheureusement, non. Ce genre d'argument se retrouve dans les discours des hommes politiques xénophobes.

Évidemment les choses sont un peu plus compliquées. L'immigration ne nuit pas à l'économie. Elle la nourrit. Comment peut-on faire la différence entre l'économie et les Hommes ? Dans la vision française, l'économie est une machine infernale, car synonyme de capitalisme, différente des hommes et femmes qui la composent. Pourtant, l'économie est juste un ensemble de mesures des comportements humains. En d'autres termes, l'activité économique n'est rien d'autre que l'activité humaine mesurée dans un pays donné. Ceci dit, l'immigration apporte à la fois de la main-d'œuvre (le côté « offre ») et de la consommation (le côté « demande »). L'un contrebalançant l'autre.

Mais alors pourquoi certains hommes politiques stigmatisent l'immigration quand d'autres la régulent ? Parce que notre économie n'est pas flexible et que nous avons fait le choix d'un modèle social fortement orienté vers une forme de paternalisme étatique. Les Français voient les immigrés partout : dans les files d'attente de toutes nos institutions sociales (Caisses d'allocations familiales, sécurité sociale, etc.) ainsi que dans leurs entreprises. Ils finissent par croire que la faillite des différents systèmes est due aux immigrants. Et quand un immigrant ne travaille pas, et donc ne prend pas la place d'un Français, c'est qu'il profite des allocations chômage.

Sans vouloir réformer le système, ceci est principalement dû au fait que nos systèmes de protection sociale reposent sur l'État et donc sur les finances publiques. La collectivité a donc l'impression qu'elle paye pour ceux qui bénéficient du système. Un peu, c'est l'État providence. Trop, c'est la faillite. Cela serait différent si l'on payait chacun pour sa protection. Si vous voulez rester longtemps au chômage, vous devez payer une prime d'assurance plus forte chaque mois quand vous travaillez. Évidemment, ce système qui n'existe nul part dans le monde est choquant car individualiste. Mais, il faut avouer que dans un tel système, l'immigrant n'est pas le malvenu.

Mais pourquoi vouloir réformer un système ? Effectivement, les immigrés qui viennent en France peuvent s'intégrer et accepter notre modèle. C'est vrai, sauf que ce modèle est excluant.

En effet, la réalité de l'immigration est tout autre. En raison du Smic et des autres rigidités qui forment le modèle français, un immigrant qui n'a pas le capital humain suffisant ou peu d'expérience professionnelle sur le sol français, par définition, aura du mal à intégrer le marché du travail. Il devra postuler à l'ensemble des systèmes d'aide.

Alors que plus de 90 % des immigrés étaient des actifs en 1968, ce taux s'est aligné sur la moyenne nationale en 1999, soit 54,7 %. Le taux de chômage est aujourd'hui près de deux fois plus élevé chez les immigrés que parmi les personnes nées en France, avec des pointes chez les Maghrébins, les Turcs et les jeunes.

L'exclusion se met en route : un immigré a une probabilité plus forte que n'importe quel être humain vivant sur le même sol à se retrouver au chômage, puis au RMI, bénéficiant de l'allocation logement, vivant dans une zone HLM. La machine sociale française pousse parfois à la création implicite de zones où les immigrés ne se retrouvent pratiquement qu'entre eux et s'intègrent mal. Ils n'ont pas l'occasion d'améliorer leur français, d'augmenter leur capital humain ou de gagner en expérience professionnelle. Leurs enfants vivant entre deux cultures perçoivent cela comme un échec. D'un côté, ils font face à la France des « légitimes » qui développent parfois un argumentaire négatif sur l'immigration et ses effets pervers sur l'économie française. D'un autre côté, ils voient leurs parents qui subissent ce système mais en bénéficient aussi. Ces enfants français nés de parents immigrés ont bien du mal à comprendre la société. Et l'incompréhension, du côté des enfants d'immigrés comme du côté des enfants de Français, pousse au rejet. La société française ne peut pas, par définition, se permettre l'ubiquité.

Dans ce modèle, un immigré qui perçoit toutes les allocations sociales possibles et imaginables – en d'autres termes non-intégré à la société française ! – doit, pour s'en sortir développer des stratégies parfois pas toujours légales. La plus simple est le travail au noir. Et le résultat n'est pas trop mal : à côté des allocations, un complément de salaire vient améliorer le quotidien. Toutefois, ce travail au noir, par définition, est rémunéré à un taux inférieur au Smic qui représente le travail légal. On les pousse donc à rester dans la pauvreté. L'image du Français qui fait travailler au noir des immigrants ressort. Quand beaucoup de ces immigrés viennent d'Algérie, comment éviter les relents tristes de notre Histoire ? Du point de vue de l'immigrant, le Français, perçu initialement comme un ami, peut rapidement devenir un exploiteur. La faute aux Français ? Non. La faute aux immigrés ? Sûrement pas. La faute au système ? Oui, mais c'est le prix à payer pour vivre sous ce modèle français.

L'immigration clandestine représente un autre effet pervers de cette rigidité du marché du travail. De véritables marchands d'hommes favorisent l'immigration clandestine pour faire tourner des ateliers clandestins avec de la main-d'œuvre bon marché. Selon l'Organisation internationale pour les migrations (OIM), la manne financière de ce trafic représente entre 600 000 et 2 milliards d'euros par an dans le monde. Un mythe, l'immigration clandestine ? La Commission européenne estime à 3 millions le nombre de clandestins présents sur le territoire de l'Union. En France, ce nombre s'élèverait à 500 000.

Le capitalisme est-il responsable de cette immigration clandestine ? Peut-être. En tout cas, c'est surtout un effet pervers du modèle social.

La prise en compte de la dynamique économique est absente de la vision française. Si l'économie est en croissance, l'immigration permet de compenser la rareté de la main-d'œuvre. Évidemment, sans l'immigration, les salaires augmentent. Les Français peuvent aussi ne pas apprécier à cette occasion l'arrivée d'une nouvelle main-d'œuvre qui va empêcher la croissance de leur salaire. Bien sûr, certains objecteront que les Français ne sont pas prêts à renoncer à leur baguette, sous-entendant qu'à la longue, ce manque de main-d'œuvre se fera ressentir sur la production nationale. Pas sûr. L'augmentation du coût de la main-d'œuvre résultant du manque de main-d'œuvre entraînera un effet de substitution au profit d'une augmentation de l'automatisation. Les Français ne manqueront de rien. Toutefois, comme notre pays n'est plus seul et est ouvert sur l'Europe, nous préférerons garder une main-d'œuvre à bon marché afin de rester compétitif par rapport à nos concurrents européens.

Selon l'Insee, le nombre des actifs (26,4 millions en 2001) va commencer à décroître en 2006, la première génération de l'après-guerre arrivant à l'âge de la retraite. Cette baisse s'accélérera jusqu'en 2050. Si rien n'est fait, la baisse cumulée pourrait représenter 2,8 millions d'actifs en 2050.

Pour autant, il ne faut pas s'alarmer. La pression à la hausse sur les salaires en raison de la baisse de la main-d'œuvre devrait inciter les femmes à entrer un peu plus sur le marché du travail et les retraités à retarder leur départ à la retraite. Seulement, le système de retraite par répartition et la pression sociale poussent les gens à valoriser un départ à la retraite plus jeune que dans beaucoup d'autres pays. Les jeunes entreront sur le marché du travail certainement plus rapidement qu'ils ne le font aujourd'hui. Cela veut dire une baisse de la durée des études. La situation n'est pas grave si la croissance économique est au rendez-vous. En cas de ralentissement et en raison du Smic, ces jeunes moins bien formés auront à nouveau des difficultés.

Comment éviter ces changements structurels de la société française ? En ouvrant un peu plus la politique d'immigration. Des lois Bonnet, Sécurité et liberté de 1980 et 1981, aux lois Pasqua en passant par les lois Debré de 1993 et 1997, la France s'est enfermée au contraire dans une logique répressive sous prétexte de maîtriser les flux migratoires.

Or, ces politiques sont inadaptées aux réalités. En essayant de corriger les effets pervers de notre modèle social, on finit par en créer d'autres. Et le plus important d'entre eux est sûrement le développement de la xéno-phobie.

Chaque année, environ 1,2 milliard de personnes entrent et sortent des pays de l'espace Schengen. 300 millions dont 130 millions d'étrangers parmi lesquels 60 millions de touristes, franchissent les frontières françaises, pays où près de la moitié des 58 millions d'habitants ont changé d'adresse entre les deux recensements de 1982 et 1990. Dans cette même période, le nombre d'étrangers établis en France est resté stable, autour de 4 millions, dont 2,5 millions de non-Européens, comme il l'est à l'échelon de l'Union européenne, qui compte 13 millions d'étrangers pour une population de 370 millions. En d'autres termes, il est illusoire de vouloir opérer un contrôle draconien sur de telles masses sans mettre en place un système policier de surveillance.

Pourtant, les récentes élections montrent que les élec-teurs français sont plutôt en faveur d'un renforcement de la sécurité publique davantage que d'une protection des libertés publiques.

# Les inégalités

Les Français l'ont lu avec leurs propres repères. John Rawls et sa *Théorie de la justice* a reçu un bel écho en France. Elle a servi aussi bien la Gauche que la Droite dans les mesures de lutte contre les inégalités.

La France n'a pas besoin de réformes à tout va. Elle a juste besoin de quelques adaptations. La difficulté n'est pas de convaincre que ces adaptations sont nécessaires. Les Français en sont convaincus. Il s'agit plutôt de leur faire accepter les mesures de politique économique. Quand il s'agit du niveau macro-économique, c'est-à-dire en d'autres termes du niveau collectif, ils sont d'accord. Mais quand il s'agit du niveau micro-économique, c'est-à-dire de leur propre situation, ils sont beaucoup plus réticents à tout changement.

Qui les blâmerait ? Il est toujours difficile de renoncer à quelque chose d'acquis même si c'est pour un sort meilleur, par définition hypothétique au moment du renoncement. Bien plus, très souvent, le choix porte sur le renoncement d'un acquis personnel, par exemple la retraite à 50 ans pour les employés de la SNCF, au profit d'une amélioration du système des retraites pour l'ensemble de la population.

Et c'est tout le paradoxe français : on vend toujours aux Français des programmes électoraux mettant l'accent sur le collectif et au final leur individualisme – bien naturel – empêche tout changement. La retraite à 50 ans pour tous les Français est un programme alléchant bien qu'inapplicable. Seule une minorité en profitera, celle qui est proche des pouvoirs publics. Ces derniers se retrouvent en situation délicate après un tel slogan et voient leur crédibilité atteinte.

Les syndicats sont là aussi pour pousser à l'amélioration du modèle social et pour rappeler aux candidats leurs promesses. On finit par avoir une disparité entre les employés français eux-mêmes, que l'on corrigera en offrant d'autres avantages, que certains appellent privilèges. Au final, on se retrouve avec un modèle très compliqué dans lequel on ne sait plus qui gagne quoi et ce qui est juste ou pas.

La grève des gendarmes, bien qu'interdite par les statuts de la fonction militaire, est une illustration assez récente. Ils jugeaient entre autres leur solde inférieure au salaire des policiers qui venaient juste d'avoir une petite rallonge budgétaire avant les élections. Et c'est vrai. Mais comment intégrer les avantages en nature et les retransformer en unités monétaires ? Comment mesurer ce que représente un départ à la retraite après 15 années de service ? Comment mesurer ce que représente la mutuelle militaire, même si le risque professionnel est bien spécifique ? Comment mesurer les avantages tarifaires accordés par la SNCF même s'ils sont inférieurs à ceux des agents mêmes de la SNCF ? Et même certains avantages deviennent parfois des inconvénients : qui n'a pas entendu certains gendarmes se plaindre de vivre en collectivité ? Quand on parle de solde, intègre-t-on les avantages en nature ? Dans quelle profession voit-on la paye augmenter avec le nombre d'enfants justement pour compenser l'augmentation des coûts, doublant en cela l'effet des allocations familiales ?

Tous ces avantages en nature ne sont certainement pas suffisants pour compenser les écarts d'où le malaise. Il ne s'agit pas de dire que les gendarmes ne méritent pas ce qu'ils ont. La réalité est même contraire : ils devraient avoir plus. Mais il s'agit quand même d'une illustration intéressante de la complexité du modèle français dans lequel on finit par critiquer les acquis en utilisant des arguments dont les effets soit-disant pervers ont déjà été corrigés par d'autres mesures dont on avait oublié l'existence.

Plus que complexe, le modèle français est trop souvent flou. À force de ne pas vouloir parler d'argent et de remplacer la valeur monétaire par d'autres valeurs moins mesurables – les « acquis » – on a fini par créer le flou. Le problème d'un tel modèle est l'injustice – vraie ou fausse. On ne peut plus dire qui gagne plus ou moins. Par rapport aux autres pays, les écarts de salaire en France sont parmi les plus faibles. Certains économistes applaudissent et remercient le système de l'impôt progressif qui a réduit les inégalités depuis la fin du XIXᵉ siècle. Mais de quelles inégalités parle-t-on ? Et il s'agit juste de ce qui est mesurable en unité monétaire. La réalité est tout autre.

À nouveau, l'économie de marché apporte toujours la facture à la fin. Et si les marchés ne s'équilibrent pas par le prix, ils s'équilibrent par les quantités. Et c'est heureux qu'ils s'équilibrent. Dès lors, si la France a des écarts de salaire plus faibles qu'ailleurs, cela ne veut pas dire que la société française est moins injuste. En tout cas, il faut s'entendre sur la définition de l'injustice.

Peut-être pas dans les 36 000 communes, mais en tout cas dans certaines grandes, les passe-droits existent et même parfois sont motivés par le soucis de justice. Certains ne bénéficient-ils pas parfois d'un appui politique pour avoir leur dossier mis en haut de la pile et même s'ils dépassent le barème des revenus ? un permis de construire ? une dérogation quelconque ? Sans parler de l'usage scandaleux des biens publics pour des intérêts particuliers :

hommes et femmes d'entretiens, conducteurs, machines, matériaux, etc. Ce sont de choses qui arrivent. Peut-être assez rarement pour remettre en cause le système. Certains diront même que c'est le degré de flexibilité qu'il faut dans le système – déjà assez complexe et rigide comme cela – afin de corriger les inégalités du modèle pas encore parfait. C'est vrai, mais à grande échelle, la proximité du pouvoir politique qu'il soit local ou national – et ce sont souvent les mêmes personnes qui en profitent en raison d'un effet boule de neige – devient un atout. Ou en est alors la mesure de l'inégalité ? Certains hauts-fonctionnaires au dernier échelon qui gagnent moins de 6 000 euros par mois sont parfois mieux lotis que beaucoup de patrons qui en gagnent le double : logements dans les palais nationaux, fonds secrets, voitures et chauffeurs de fonction, sécurité de l'emploi même s'ils décident de le quitter pour aller gagner un peu plus d'argent dans le secteur privé. Ils utilisent leurs connaissances du système public, dans tous les sens du terme, pour le bien-être de leur nouvel employeur et ils pourront à la fin réintégrer leur corps. Tous les hauts fonctionnaires ne sont pas logés à la même enseigne, mais la République est parfois très bonne rémunératrice en raison de la défense de la démocratie : un exemple, les architectes en chef des Monuments historiques. Recrutés sur concours, ils perçoivent environ 13 % du montant des travaux qu'ils ont supervisés sur des bâtiments classés. Exemple extrême, la restauration du parlement de Bretagne a coûté 37 millions d'euros... Le Trésorier payeur général (TPG) de Paris et d'Ile-de-France supervise la collecte des impôts parisiens, soit 15 % du total de l'impôt sur le revenu en France. Pour éviter à juste titre qu'il ne se serve dans la caisse comme au temps des Rois, on le paie généreusement : 218 000 euros nets annuels dont les deux tiers sous forme de primes de façon à cacher peut-être son véritable salaire pourtant justifiable. Le Conseil de la politique monétaire (CPM) créé en 1995 est garant de l'indépendance de la Banque de France. Certains défendent la thèse selon laquelle la création de la Banque centrale européenne (BCE) l'a vidé de sa substance. Il n'empêche que ses membres perçoivent un traitement annuel net d'environ 120 000 euros. L'ambassadeur de France à Rome touche une modeste somme de 69 000 euros bruts en salaire annuel, auxquels s'ajoutent des indemnités d'expatriation pouvant aller jusqu'à 110 000 euros par an non imposables. La réalité économique est qu'ils le méritent sans aucun doute compte tenu du coût d'opportunité de ces hommes et femmes brillants à ne pas travailler dans le secteur privé et à se dévouer à la chose publique.

Hormis tous ces exemples, la plupart des hauts fonctionnaires ne sont pas concernés par ces primes extraordinaires. Néanmoins, ils bénéficient d'avantages en nature divers. C'est peut-être une bien maigre compensation compte tenu des efforts consentis pour se contenter de ce salaire de haut fonctionnaire. Il est certain qu'en l'absence d'une échelle de mesure objective, tous les points de vue sont défendables. Mais à quel prix pour les inégalités ? Cela dessert même les professions qui bénéficient de ces avantages dans la mesure où les médias vont se concentrer sur les cas extrêmes et décrédibiliseront ainsi la profession.

Que les hauts fonctionnaires de notre République vivent bien est plutôt flatteur. Ils méritent certainement plus. Mais, le côté négatif du système est qu'à force de créer des avantages cachés, seules les personnes éclairées finissent par les voir et en bénéficier.

Notre modèle social cache de l'information aux citoyens ou rend cette information difficilement décryptable et comparable par l'ensemble des citoyens. Sans être une société de combines – terme qui s'appliquerait plutôt à des pays moins riches et à des classes sociales moins aisées – on parle ici d'avantages vus et perçus par la classe dirigeante. On « nomenklaturise » la société française.

La lutte des classes modernes ne devrait plus être celles du salariat contre le patronat en tout cas plus seulement, mais celle des exclus de la société politique contre celle qui s'en sert exclusivement.

Et ce qui est troublant est que le modèle s'entretient tout seul. Bien souvent, pour faire fortune en France, il ne s'agit plus d'être un entrepreneur, mais un entrepreneur proche des milieux politiques. Non pas pour faire des choses frauduleuses, mais pour gagner en crédibilité sur les marchés, parler d'égal à égal avec les autorités. Qui se souvient de ce P-DG négociant avec le gouvernement les quotas sur les voitures japonaises pour sauver l'emploi dans la construction automobile française ? Personne n'a bougé. Se souvient-on de cet homme d'affaires qui a bénéficié de lignes de crédit exceptionnelles, ce qui a fini, semble-t-il, par risquer la vie à une grande banque française ? Ne peut-on pas imaginer un entrepreneur utilisant ses contrats avec les pouvoirs publics pour négocier avec son banquier des prêts plus intéressants ? Tout cela est bien normal. Oui, sauf que l'on crée des distorsions sur la concurrence. Et seuls ceux qui sont déjà présents resteront sur le marché.

Il est très difficile de réussir en dehors de ce modèle. En d'autres termes, il est très difficile de changer de classe sociale. Cela ne serait pas grave si le *statu quo* était celui de la justice sociale. Or, si l'on accepte l'idée que notre société est encore et toujours injuste, mais que l'injustice est cachée, alors la porte de sortie est au moins de laisser une chance aux gens d'améliorer leur sort.

Mais bien entendu, si la société est injuste, elle l'est jusqu'au bout : le résultat est injuste parce que le système est injuste. C'est-à-dire qu'au final si certaines personnes sont plus riches que d'autres, non pas en terme monétaire mais en termes de privilèges, c'est parce que le système le leur a permis.

Un exemple : cela pourrait s'intituler « L'alchimiste » si ce titre n'avait pas déjà été pris pour une histoire beaucoup plus réussie, ou « quand l'eau devient de l'or ». Vous n'y êtes toujours pas ? Et bien l'ancienne Compagnie Générale des Eaux a fait sa fortune avec les marchés publics d'attribution de l'eau. C'est mérité ? Sûrement. Mais peut-être pas autant qu'une entreprise du secteur privé concurrentiel ou en tout cas, comme il n'existe pas de mesure objective en raison de l'absence de concurrence, c'est difficile à dire.

Son précédent P-DG, Jean-Marie Messier, énarque, ancien haut fonctionnaire au ministère des Finances – peut-être y reviendra-t-il ? – a attiré l'attention pendant l'été 2002 en étant démissionné par son conseil d'administration. Certains critiqueront le système capitaliste. Peut-être. En tout cas, c'est aussi un signe que l'ascenseur social n'existe pas en France. J6M, comme il s'est lui-même parodié, doit sa réussite à son travail – certes – à ses compétences et son intelligence, mais aussi à son appartenance à un certain groupe social proche du pouvoir politique.

Le patron de VU a gagné en brut 5,12 millions d'euros en 2001, soit une hausse de 19 % par rapport à ses 4,3 millions d'euros de 2000, selon la société, alors que le groupe de médias et de services aux collectivités a affiché une perte colossale de 13,6 milliards d'euros, après un bénéfice net de 2,3 milliards d'euros en 2000.

À titre de comparaison, le patron d'Alcatel, Serge Tchuruk, polytechnicien, a touché 2,6 millions d'euros bruts en 2001, année où le groupe a enregistré une perte nette record de 4,96 milliards d'euros.

Le problème du modèle français est que l'ascenseur social se trouve déjà au sommet de la tour et que pour y accéder il faut y monter à pied.

Avec un tel exemple et de tels chiffres, il est facile de dire que le système capitaliste est fou, mais en creusant un peu, le système « politique » ne fait pas qu'organiser et réguler le capitalisme, il sert aussi parfois à ne le réserver qu'à une certaine partie de la famille française. Les rigidités sont partout, et ne sont pas seulement économiques.

Liberté, peut-être. Égalité et Fraternité, pas toujours. Pourtant, François-René de Chateaubriand écrivait à propos du modèle français : « Les Français vont indistinctement au pouvoir ; ils n'aiment pas la liberté, l'égalité seule est leur idole. »

## L'insécurité comme exutoire

Le soir du premier tour des élections présidentielles, personne ne put le croire. Lionel Jospin, lui-même est abasourdi. Aux vues des 16 candidatures, les conseillers de Jospin pensaient que le premier tour serait une cacophonie et que le débat entre Jospin et Chirac allait se faire entre le premier et le deuxième tour. Il ne fallait donc pas se précipiter sur les idées. Des attaques personnelles venant des deux camps ont été préférées aux idées.

Le programme de Jospin avait été rédigé dans les deux mois avant le premier tour. Signe que l'on n'était pas pressé et qu'on comptait l'utiliser entre les deux tours, mais pas avant. Manquait-on d'idées ? Non. On manquait de temps. Le staff de Jospin était occupé dans les ministères. Le rédacteur du programme, Pierre Moscovici, était le seul responsable de sa rédaction et des idées intégrées. Les membres du bureau du parti socialiste ne faisaient que des commentaires sur sa complexité.

Rédiger un programme dans les deux derniers mois quand on est au gouvernement depuis les cinq dernières années donne quand même l'impression que l'on gouvernait sans vraiment suivre une ligne bien claire... ou que l'on attendait les cinq prochaines années pour vraiment gouverner. C'était un pari risqué. En cas d'une cohabitation Gauche-Droite – respectivement la Gauche à l'Élysée et la Droite à Matignon – Jospin n'aurait rien gouverné.

Les grandes lignes du débat auraient dû porter sur la France et son économie. Comment nos deux candidats, Jospin et Chirac, auraient-ils géré les enjeux de demain ? Qu'en est-il de la gestion des retraites, de la Sécurité sociale, du chômage, etc. ? Au fait, ces problèmes n'existaient-ils pas avant ?

Et c'est le reproche que les Français font aux hommes politiques depuis la première cohabitation de 1986. Il faut arrêter d'infantiliser les Français et leur proposer de réelles réponses fondées sur des analyses loin de toute idéologie. La France est prête pour la *Real politik.*

Les Français sont fatigués d'entendre toujours les mêmes promesses. Pour cette raison, ils ont donné leurs voix à des courants alternatifs. Malheureusement, ces candidats radicaux proposent des solutions radicales : la fin de la 5e république par la révolution communiste pour les uns, la 6e pour les autres !

La cacophonie du premier tour n'a pas eu lieu. Le mot d'ordre de tous les candidats secondaires était « contestation ». Le bilan de Jospin était critiqué de toutes parts. Pas de chance. C'est la première fois que la France faisait face à autant de candidats. Être en poste est d'habitude une chance pour le candidat à la réélection. Dans cet exemple, c'était un inconvénient. Jospin ne pouvait imposer son propre discours. Il était sans cesse sur la défensive. La faute aux nombreux candidats ? Peut-être. Mais sûrement la faute à Jospin lui-même qui devait assumer son bilan.

Un exemple ? Celui des retraites. Cela fait plus de 15 ans que l'on sait que le système par répartition doit être réformé. L'arrivée des baby-boomers à la retraite va faire exploser le système de retraite français. Depuis 15 ans, le dossier blanc sur les retraites reste dans les tiroirs de Matignon. Personne ne veut prendre le risque de ruiner sa carrière et de traiter le dossier. Chacun essaye de transmettre à son successeur le colis piégé. Mais les Français ont fini par ne plus être dupes. Ils ont envoyé un message fort : ils ne veulent plus d'inactivité. Jospin n'a pas voulu traiter le dossier pendant ses cinq ans. La sanction est tombée. Pourtant, il n'a rien fait de pire que ses prédécesseurs. Sauf, qu'à force, les Français sont de plus en plus exacerbés. La situation de la France ne semble pas s'améliorer. Les efforts sont toujours les mêmes ainsi que les promesses.

Une chose semble empirer : l'insécurité. Entre 1975 et 1998, les vols, qui constituent l'essentiel des 3,5 millions de délits et crimes enregistrés chaque année, ont vu leur nombre exploser. En 1975, on en dénombre 1 233 000 et en 1998, 2 305 000. Les atteintes aux personnes passent de 87 700 à 230 023 en 1998.

Les causes de l'insécurité sont multiples. Avec l'augmentation des personnes vivant très modestement en France, on voit apparaître une génération sans espoir, sauf celui de dépendre de l'État providence. Bel avenir. Pour améliorer leur quotidien ou pour réagir, ces jeunes font des larcins. Les journaux en font leurs « unes ». À la misère économique française, on leur ajoute maintenant l'insécurité. Trop, c'est trop. Ces jeunes développent leurs propres codes de conduite, leurs propres règles.

Est-ce que l'on peut s'apercevoir de cela quand on vit à Matignon ? Certainement pas. Avec une voiture de police à chaque carrefour dans le quartier entourant les bureaux du Premier ministre, l'insécurité est proche de zéro. Les Français, quant à eux, la vivent : une voiture griffée, un coup de fil anonyme, des menaces de mort... pas crédibles, mais quand même. Une police qui ne veut pas remplir les formulaires de plainte, car c'est sans espoir. Une gendarmerie qui manque d'effectifs.

Si l'on pense que ces exemples sont des clichés, on commet l'erreur des gouvernements précédents avec les résultats que l'on connaît. C'est bel et bien le quotidien des Français... ou en tout cas, ce qu'ils craignent. C'est maintenant dans leurs analyses et quiconque niera le problème n'aura pas leur consentement.

Cette question occultée par la Gauche lui a coûté les élections. Le parti socialiste n'a jamais voulu reconnaître ouvertement l'insécurité. Cela aurait été une reconnaissance de l'échec des politiques d'intégration dans la société traditionnelle, chères à la Gauche, par rapport aux politiques de répression de la Droite. Le candidat Chirac avait promis un durcissement : 6 milliards d'euros consacrés à la police et à la justice, et un ministère de la sécurité intérieure a été créé faisant autorité sur les policiers et les gendarmes, ces derniers gardant leur statut militaire.

Mais ne pas reconnaître les faits pour des raisons idéologiques, c'est aussi créer la suspicion. Et quand pendant le premier tour, Jospin attaqué sur cette question change l'approche de la Gauche en parlant répression, il manque de crédibilité. Les Français ont l'impression qu'il veut leur plaire le temps d'une élection et qu'il est prêt à tout parce qu'il sent le vent tourner. Paradoxalement pour le parti socialiste, à force de gouverner, il s'éloigne de ses électeurs. Ce sont les électeurs de gauche qui vivent l'insécurité !

# Conclusion : la France vote les extrêmes

Dans l'expression « politiques économiques », la France est plus intéressée par « politiques » que par « économiques ». C'est sans doute la raison pour laquelle, à force de voir des politiques économiques motivées par des considérations politiques, les Français tournent comme des girouettes au moment des élections. Mais ils n'en sont pas responsables. On ne peut les blâmer d'avoir voté en faveur des extrêmes en 2002 au point d'avoir fait frémir la communauté internationale. Edgar Faure écrivait : « Ce n'est pas la girouette qui tourne, c'est le vent. »

Nos hommes politiques devraient revoir leurs classiques.

Néanmoins, la France investit beaucoup dans les « conseilleurs du Prince. » En 2002, l'Institut national de la statistique (Insee) a reçu 296 millions d'euros, le Conseil économique et social (CES) a reçu 32 millions d'euros, le Plan en est à 26 millions d'euros, le Commissariat général du Plan (CGP) à 8,5 millions d'euros, l'Observatoire français des conjonctures économiques (OFCE) coûte 3,2 millions d'euros, l'Institut de recherches économiques et sociales (Ires) 3 millions, le Centre de recherche pour l'étude et l'observation des conditions de vie (Credoc) n'a que 860 000 euros, le Conseil national de l'évaluation est à 390 000 euros et le dernier, mais pas le moindre, celui qui a été mis en place par Lionel Jospin en 1997 pour donner une couleur économique à la politique gouvernementale de l'époque (35 heures, emplois-jeunes, retraites, etc.) : le Conseil d'analyse économique (CAE) a reçu 1,5 million d'euros. Tous ces centres ne sont pas inutiles, loin de là. La situation serait peut-être pire sans eux. Mais les critiques mettent en cause la cohérence et la redondance du dispositif.

En pratique, ces centres n'empêchent pas les politiques de faire ce qu'ils veulent. Pourquoi ? Parce que les analyses de ces nombreux centres sont parfois contradictoires. Le nombre tue la cohérence. La France est compliquée.

Joseph de Maistre écrivait : « toute nation a le gouvernement qu'elle mérite. » Oui, sauf quand le gouvernement n'écoute pas la nation. Un exemple ? Les Français étaient censés aimer la cohabitation. Avant les élections de Mai 2002, certains pensaient que le prochain président aurait été Lionel Jospin et le Premier ministre, Jacques Chirac. C'est d'ailleurs peut-être ce qui a causé la défaite de Jospin. Pourquoi voter pour lui au premier tour quand on sait qu'il va finir Président ? En tout cas, ce scénario, écrivaient nos intellectuels et sages français, plaît beaucoup aux Français. La preuve ? La première cohabitation de 1986 à 1988 a peut-être été un accident. La deuxième de 1993 à 1995 a sûrement été désirée. C'était un second ras-le-bol lancé à la tête du gouvernement Rocard, et curieusement pas de la présidence incarnée par un François Mitterrand adulé. Deux ans plus tard, toujours mécontents, les Français décident de changer les rôles. Ils élisent

Chirac contre un Jospin peu charismatique. Ce n'était pourtant pas un chèque en blanc donné au président. En 1997, quand celui-ci décide de dissoudre l'Assemblée nationale, les Français encore mécontents votent à nouveau en faveur d'une cohabitation.

Et le raz de marée extrémiste de 2002 n'est que le reflet de la déception des Français. Doit-on les blâmer ? Certainement pas. Les politiques et les intellectuels sont les seuls responsables. À plusieurs reprises, les Français leur ont envoyé des signaux forts en votant les différentes cohabitations. On a fini par en conclure qu'ils aimaient cela ! Est-ce une démonstration de la suffisance de nos gouvernants et intellectuels ou de l'incompétence à comprendre son propre peuple ? Parions pour la suffisance, au risque d'être vraiment déçu. Non, les Français n'aiment pas la cohabitation. Mais avant de voter vraiment pour les partis révolutionnaires trotskistes ou pour le Front National, ils ont voulu donner encore une chance aux partis traditionnels.

En s'appuyant sur cette interprétation, quelles leçons peut-on en tirer ? Et bien, que les prochains gouvernements comprennent ce signal fort et qu'ils mettent en place les politiques économiques que les Français veulent vraiment. Sinon ? Le risque est que les prochaines élections nationales donnent encore plus de poids aux extrêmes.

Pas de problème, les politiques l'ont compris ! Pas sûr. Le soir des résultats, beaucoup ont conclu que le trop grand nombre de listes a desservi Jospin. C'est encore une fois une vision statique, sans prise en compte de la dynamique.

En effet, les Français ont manifesté leur mécontentement. Et même avec un nombre plus petit de candidats, ils auraient quand même manifesté leur mécontentement et cette fois en votant encore plus pour le Front National ! Au contraire, les partis trotskistes ont diminué le vote en faveur du FN. Ils ont offert un substitut au FN pour l'expression du mécontentement.

Le danger est que si les politiques n'en sont pas convaincus, alors les prochaines élections verront encore plus de mécontents.

Le seul à l'avoir compris est probablement Lionel Jospin. Il est le premier homme politique français moderne à annoncer sa démission et son retrait de la classe politique après un échec.

Premièrement, cela redonne du poids aux élections. Et deuxièmement, cela montre que Lionel Jospin a bien compris que les Français n'utilisaient la cohabitation que pour exprimer leur mécontentement et qu'ils venaient de donner là un ultime signal.

Le geste fort de Lionel Jospin va sans doute dans le sens de l'adage de Jean Mistler : « la politique est l'ensemble des procédés par lesquels des hommes sans prévoyance mènent des hommes sans mémoire. » La faute de Jospin aura-t-elle été de ne pas avoir été prévoyant ? Nul ne peut le dire. En revanche, il faut espérer que le peuple français conserve sa mémoire. La France en a assez des tentatives, des essais et des erreurs. Après des années à croire passionnément, les Français appellent à la rationalité. « La liberté n'est possible que dans un pays où le droit l'emporte sur les passions », écrivait Henri Lacordaire.

Un coût plus pernicieux pour la France est celui du ras-le-bol de la politique. Martin Luther King disait : « Les barricades sont les voix de ceux qu'on n'entend pas. » Sans aller jusque-là, nous avons fait l'expérience de l'expression de ce ras-le-bol pendant les élections présidentielles et législatives de 2002. Espérons que les choses s'arrangeront avant les prochaines élections nationales, car comment mesure-t-on ce coût ? Par le vote des extrêmes...

Achevé d'imprimer sur les presses de
**ISI 68/70 rue des Pyrénées
75020 Paris**

Dépôt légal 1er trimestre 2005